LA MASONERÍA

Plutón
Ediciones

La Masonería

Francesc Cardona

© Plutón Ediciones X, s. l., 2020

Segunda Edición: 2021
Tercera Edición: 2021

Diseño de cubierta y maquetación: Saul Rojas

Edita: Plutón Ediciones X, s. l.,
          E-mail: contacto@plutonediciones.com
          http://www.plutonediciones.com

Impreso en España / Printed in Spain

I.S.B.N: 978-84-17928-45-2
Depósito Legal: B-18387-2019

Prólogo

La masonería es un tema que ha hecho verter ríos de tinta en incontables obras y continuará haciéndolo, aunque no siempre asimilado con claridad por los medios de comunicación sobre todo en España, que sufrió casi cuarenta años de oscurantismo, consecuencia de un excepcional período político.

Desde su nacimiento, su secretismo ha contribuido a levantar pasiones contradictorias a favor o en contra y ya es hora de intentar clarificar conceptos desterrando leyendas negras, pero también rosas, surgidas últimamente. Si por lo general, las cosas no son ni completamente blancas ni negras, como los seres humanos que no son ni buenos, ni malos, si no "grises", a la masonería, como institución humana, le sucede otro tanto. No vamos a situarnos ni en un lado ni en el otro, sino que con un lenguaje lo más asequible que podamos, vamos a exponer hechos históricos, aproximándonos lo más que podamos a su doctrina y a sus esotéricos rituales, ahora que prácticamente ha dejado de ser un tema hermético.

Comenzaremos por explicar qué es la masonería y cuál es su ámbito de acción para pasar luego a las peregrinas y ancestrales hipótesis sobre sus raíces y antecedentes inmediatos. Veremos el significado de la palabra *logia*, así como *masón* o *freemason* qué influencia tuvieron los Rosacruces en el nacimiento de la masonería moderna.

Analizaremos el paso de la denominada masonería operativa (antigua) a la masonería especulativa (moderna), tal como en la actualidad la entendemos; su nacimiento londinense en el siglo XVII y su primer código escrito: las *Cons-*

tituciones de Anderson, con toda su atrayente, pero legendaria mitología; la puesta de largo de la hermandad, su expansión y sus primeras dificultades, así como también los inicios de la oposición de la Iglesia católica.

Al igual que ha sucedido con todas las doctrinas; con la expansión, el surgimiento de nuevas interpretaciones y de algún que otro "aprovechado" (¡que siempre los hubo!)... analizaremos qué papel tuvo en la independencia de los E.U.A y en la Ilustración y Revolución Francesa.

Nos detendremos en el nacimiento de la masonería española intentando deshacer entuertos y estudiaremos su contribución a la emancipación de la América Hispana, hasta qué grado el sello de la masonería se imprimió en los nacionalismos del siglo XIX europeos y en las revoluciones sociales, así como en la pérdida por España de Cuba y Filipinas, cuáles fueron los derroteros de la masonería española en el siglo XIX y la contestación del Papado a la hermandad.

La masonería continuó jugando un papel importante en la turbulenta primera mitad del siglo XX en menor o mayor grado, según los países, sobre todo, en España en la que nos detendremos, preferentemente, analizando el advenimiento y el período de la II República, la Guerra Civil y el Franquismo, así como la supuesta conjuración "judeo-masónica".

No tenga miedo el lector no especializado de encontrar una exhaustiva y cansina presentación histórica, esta solo se ofrece para enmarcar el tema de la obra.

¿Cuál ha sido la situación de la masonería desde 1945? ¿Y en la época actual? ¿Continúa la animadversión del papado?

La obra trata sobre la injerencia de la masonería en la creación de las Naciones Unidas, la redacción de la Declaración Universal de los Derechos Humanos y la Carta de la Tierra… ¿hasta qué punto?

Los últimos capítulos que componen la segunda parte quizás sean para muchos los más curiosos y amenos. Ante la justa tendencia a la igualdad de sexos, nos podemos preguntar: ¿Cuál es el papel de la mujer dentro de la masonería? Haremos un repaso al código moral masónico, a su simbología y a los diversos rituales con un diccionario de sus principales términos empleados. ¿Más pruebas de que el secretismo del pasado ha pasado a mejor vida? ¿Y la importancia de la música en la sociedad? ¿Quién no conoce la *Flauta Mágica* de Mozart o nunca ha tarareado el popular "Himno a la Alegría" de la *Novena Sinfonía* de Beethoven?, y siguiendo en esa línea positiva, se consignan algunos premios Nobel, (sobre todo de la Paz), y astronautas iniciados.

Finalmente, si hay o no muchas parafernalias en cuanto a sus grados y rituales, nosotros nos limitamos a exponerlos, el lector juzgará sobre la bondad de los mismos. Por lo demás, lo oculto, lo mistérico siempre ha reducido al ser humano.

Si con ellos hemos logrado despertar el interés por uno de los fenómenos más influyentes en la historia de la humanidad, habrá sido colmado nuestro propósito. La adjunta bibliografía ayudará a ampliar el tema.

PRIMERA PARTE

Capítulo I
Un intento de definición.
En busca de las raíces

¿Qué es la masonería?

¿Un partido político?, ¿un sindicato?, ¿una religión?, ¿una secta?, ¿una sociedad secreta? ¿Por qué es tan difícil encasillarla? ¿Cuáles fueron sus orígenes?

A todas estas preguntas intentaremos dar cumplida respuesta procurando "deshacer entuertos", muchos de ellos envueltos por leyendas populares en España, fomentadas y enriquecidas generación tras generación por intereses político-religiosos y determinadas coyunturas históricas que necesitaban (o no) defenderse contra ella para salvaguardar su doctrina tradicional.

Los contubernios judeo-masónicos delatados no son propios del nacionalcatolicismo de 1939 a 1975, sino de mucho antes, cuando la mentalidad fundamentalista identificó el nombre de masón con misas negras, profanación de hostias, asesinatos rituales de infantes y culto al demonio.

El *Diccionario Enciclopédico de la Masonería*[1] define esta como una asociación universal, filantrópica, filosófica y progresiva que procura inculcar a sus adeptos el amor a la verdad, el estudio de la moral universal, de las ciencias y las artes, desarrollar en el corazón humano los sentimientos de

1   Fran, Lorenzo y Arus, Rosendo: Buenos Aires, Kiev 1962. 3 vols.

abnegación y de caridad, la tolerancia religiosa, los deberes de la familia. Asimismo, tiende a extinguir los odios de raza, los antagonismos de nacionalidad, de opiniones de creencias y de intereses, uniendo a todos los seres humanos por los lazos de la solidaridad y confundiéndolos en un tierno afecto de mutua correspondencia. Procura, en fin, mejorar la condición racial del ser humano por todos los medios lícitos y especialmente por la institución, el trabajo y la beneficencia. Tiene por premisa libertad, igualdad y fraternidad.

LOS ORÍGENES DE LA MASONERÍA

Algunas teorías son tan disparatadas como para llevar los orígenes de la masonería hasta el *Génesis* bíblico, ya que la humanidad había sido creada hacia el año 3761 a.C., considerando los días bíblicos como períodos de tiempo relativamente largos (aunque no tan largos como serían después las *eras geológicas*).

Adán y sus contemporáneos serían los primeros masones, como Noé, Enoch o Moisés, y con mayor verosimilitud Hiram, el supuesto constructor del templo de Salomón en Jerusalén, cuyos sacerdotes judíos habrían conservado la sabiduría hermética que legarían a los Templarios en el siglo XII a. C.

Aunque parezca un disparate el hacer que coincidan el origen de la masonería con la Creación, tenemos que pensar que esta ha estado rodeada de misterio y que prestigiosos masones de los siglos XVIII y XIX, tales como H. Olivier,

Anderson o Ramsay, así lo admitieron y defendieron en sus escritos.

Desde un punto de vista más científico, aunque sin abandonar las especulaciones fantasiosas, algunos autores como C. Knight y R. Lomas, hablan de remontar los orígenes de la masonería a la prehistoria, concretamente a la construcción de los monumentos megalíticos en los que se mezclan la técnica constructiva y unos supuestos conocimientos astronómicos, como el famoso crómlech de Stonehenge en Gran Bretaña. Si eso fuera así, la masonería podría haber existido ya entre el séptimo y tercer milenio a. C. Mucho antes de que el diluvio bíblico asolara el planeta, que según los descubrimientos del arqueólogo *sir* Leonard Woolley, habrían tenido lugar hacia el año 315 a. C.

Sin embargo, esta teoría está plagada de objeciones porque cómo podemos saber si los hombres que construyeron Stonehenge tuvieron un acervo de ciencia esotérica y hermética. Todo esto son conjeturas sin pruebas fehacientes.

CHRISTIAN JACQ

En la segunda mitad del siglo XX se hizo famoso Christian Jacq con sus libros de esoterismo y novelas que tenían por escenario el Egipto faraónico. Conspicuo masón, situó a lo largo del Nilo el origen de la sociedad secreta, conectándola con religiones místicas de la Antigüedad, tal como desarrolló en su obra *La masonería: historia e iniciación* a la que relacionó con *El misterio de las catedrales*[2].

---

2   *El misterio de las Catedrales* (Barcelona, 1999) y *La masonería: historia e iniciación* (Barcelona, 2004).

Para Christian Jacq, Adán no sería el culpable del pecado original, sino el primer iniciado en los misterios. Según esta concepción, la masonería dejaría de ser una sociedad filantrópica o humanitaria para convertirse en la guardadora de los ideales iniciáticos presentes en las religiones mistéricas de la Antigüedad y en los movimientos posteriores gnósticos y ocultistas[3].

Entre los constructores del Templo de Salomón existió un grupo de individuos reunidos bajo el título de Caballeros del Templo que constituyeron una auténtica Orden con la finalidad de construir sus pórticos y se la relacionó con la secta de los esenios[4].

Aspectos masónicos también se han querido rastrear en el propio *Código de Hammurabi* (hacia el 2000 a.C.) y entre los escritos sumerios que hablan de la fundación de ciudades y la construcción de sus templos en elementos tan significativos como las escuadras, cinceles y reglas de las que algunas imágenes son portadoras. Nadie pone en duda que la construcción de las pirámides exigió un grado de especialización técnica para las que la dirigían solo reservada a los iniciados.

---

3   Los gnósticos constituyeron diversas variantes o escuelas de una secta surgida en el siglo II que sintetizaba doctrinas filosóficas griegas y orientales y con complicadas cosmologías, constituyendo diversas asociaciones con grados de iniciación. En 1945 se descubrió una importante biblioteca gnóstica en el Alto Egipto escrita en copto y en periodo de estudio. Una parte se editó en 1977.

4   Sus comunidades religiosas se establecieron junto al mar Muerto con bienes compartidos y hábitos ascéticos y pacíficos. Los aspirantes tenían que someterse a una serie de pruebas antes de ingresar en la comunidad. Los alumnos vestían un mandil *blanco*. Poseían grandes conocimientos arquitectónicos y singulares rituales y ceremonias. Jesucristo fue identificado como uno de ellos. Los manuscritos de Qumrán los relacionan con el cristianismo primitivo.

La arquitectura egipcia tuvo que ser enseñada en secreto, y los que aspiraban a su conocimiento, obligados a parar por una serie de pruebas reglamentadas por los sacerdotes.

GRECIA

Desde las orillas del Nilo, la influencia en la cultura griega se hizo patente culminando en la época ptolemaica (siglos IV al I a. C.). El historiador Plutarco nos habla de ello (siglo I a. C.) y de su ascendiente en la Roma de los primeros reyes hasta el punto de que las organizaciones de construcciones sagradas, pudieran ser parecidas.

Los arquitectos constructores de los teatros dionisíacos fueron muy pronto iniciados en el culto a Dionisio (Baco para los romanos), extendiéndose por Asia Menor, Siria, Persia e India. En Pérgamo (s. III a. C.) sus constructores sacerdotes poseyeron una organización semejante a la de los francmasones europeos de finales del siglo XVII. Para acceder al grado de constructor debían superar una serie de pruebas en las que existían palabras y signos de reconocimiento herméticos relacionados con el dios helénico Hermes, inventor de todas las ciencias y artes, al que se le unió el nombre de Trismegisto (tres veces grande), asociado al dios egipcio Tot. Se le conectó con la figura de un supuesto rey muy antiguo, autor de numerosos escritos de influencia platónica y bíblica, que tuvieron gran influencia desde el siglo IV hasta el Renacimiento.

En Pérgamo existieron comunidades semejantes a las logias con el nombre de colegios, sínodos o sociedades, sobresaliendo las corporaciones de Attalus (Atalo I y II fueron reyes de Pérgamo) y de Eschina, dirigidas por un maestro y sus colaboradores inmediatos (inspectores) que se renovaban cada año. Celebraban reuniones secretas en las que se utilizaban símbolos que atañían a los instrumentos de su profesión, y los más ricos y capacitados debían ayudar a los menores, a los pobres y enfermos.

A los que así lo hacían se les erigían monumentos funerarios. También podían pertenecer a ella nobles, aunque no tuvieran dicha profesión e incluso, parece ser, que el propio rey Atalo II lo fue.

THOMAS PAINE (1737-1809)

De origen británico, emigró a Norteamérica. Iniciado en el cuaquerismo, abrazó los postulados de la Ilustración. Su obra *Common Sense* reforzó al partido de la independencia. Cuando regresó a Gran Bretaña se entusiasmó con las ideas de la Revolución Francesa. Perseguido por el gobierno inglés, se refugió en Francia (1792) y recibió la ciudadanía francesa, obteniendo un escaño en la convención. Mal visto por los jacobinos, en 1802 volvió a los EE.UU. Iniciando en la masonería, publicó *Orígenes de la Francmasonería* en la que recogió las tesis de los correligionarios de la época. Al final de su vida volvió al cuaquerismo.

En su libro sobre la masonería, Paine afirma que esta era una religión solar transmitida por los sacerdotes egipcios de Heliópolis, los mongos de la antigua Persia y los druidas celtas. Según él, la religión cristiana sería una parodia de la adoración del Sol en la que lo sustituían por un hombre llamado Cristo. Sin embargo, defendían la masonería por preservar sus ceremonias en estado original, tal como los druidas las leyeron, aunque su origen se perdía en el laberinto del tiempo y del espacio, siendo los egipcios, los babilonios, los caldeos, Zoroastro y Pitágoras los que habrían llegado algo más de mil años antes de Cristo. Paine aseguraba que se habrían refugiado en su carácter ocultista y mistérico.

Comparaba la simbología de las diversas logias, sus ceremonias e incluso su calendario, que tenían como centro el origen del solsticio de verano, el 24 de junio. Aceptaba que la masonería habría intervenido en la construcción del Templo de Jerusalén, pero no que esta fuera su origen, construcción que catalogaba como manifestación oculta del culto solar.

Que la base histórica de la hipótesis de Paine se tambalee es lo de menos, lo importante es que una personalidad dentro de su mundo, definía la masonería como sociedad secreta y ocultista, y que esto debía ser así, sobre todo, en el ámbito cristiano y singularmente católico. En la actualidad, estas premisas han variado un tanto, pero los masones más recalcitrantes continúan apoyándose.

Robert Longfield, a mediados del siglo XIX, repetiría casi lo mismo: "La sabiduría masónica ya estaba presente en las pirámides de Egipto, las construcciones helénicas de Micenas y Tirinto, de los fenicios de Tiro, de los etruscos de Volterra en Italia y en las ciudades de Mohenjo-Daro y Harappa. Las logias habrían crecido pues, hacia el siglo XIV y XIII a. C., mucho antes de la construcción del Templo de Jerusalén, y los grandes iniciados fueron los sacerdotes de Eleusis, los etruscos, egipcios y los discípulos de Zaratita y de Pitágoras, sin olvidar a los de Kung-Tsé.

Sin embargo, para Longfield, los primeros misterios fueron guardados por los sacerdotes del templo griego de Eleusis, dedicado a la diosa Deméter, no de Atenas, diosa de carácter agrario (en latín *Ceres*, de donde deriva la palabra cereal). Tras Eleusis vinieron todos los demás en una cadena que terminaba en los constructores medievales de las catedrales.

ROMA

A finales del siglo VIII a. C., a su segundo rey legendario Numa Pompilio, se le atribuye la organización religiosa y el reglamento de los colegios de oficios o artesanos en cuya cúspide colocó a los arquitectos (*fabrorum*), sociedades profesionales con una fuerza social comparable a nuestros sindicatos. Numa ordenó traer griegos como maestros para organizarlos, y con ellos el culto a Dionisos se transformó en el de Baco. Fue durante el Imperio cuando estas sociedades alcanzaron su mayor influencia, teniendo el privilegio para establecer sus propias leyes, poseer una jurisdicción propia, así como jueces y magistrados. El colegio de arquitectos consiguió la inmunidad constructiva, privilegio que continuó durante los tiempos medievales y que heredaron los denominados masones libres.

Ya entonces, las logias constituían los lugares de reunión con asambleas cerradas exclusivas de los miembros de su oficio. Al igual que en Grecia, en ellas se acordaban la distribución y ejecución de los trabajos, y se iniciaba a los neófitos en los secretos imprescindibles para el oficio constructor, revelando los signos especiales identificativos que se inspiraban en los útiles profesionales.

Los miembros de las logias tenían tres grados o niveles: aprendices, compañeros y maestros. Todos los miembros tenían la obligación de prestarse ayuda mutua, que ratificaban por juramento y se reconocían entre sí por signos herméticos. Tras el proceso de iniciación, eran admitidos como miembros de pleno derecho y se les daba un diploma en el que se consignaba su cualidad y grado para distinguirse de los de su *collegium* y del resto.

Ya durante la República destacaron tanto las asociaciones de constructores hasta el punto de que Julio César tuvo que reglamentarlos para mermar su poder a través de la Ley Julia. Sin embargo, las grandes obras realizadas durante el Imperio, provocaron su reclusión y durante el Bajo Imperio, los *collegia* recuperaban toda su importancia al necesitar expertos matemáticos y geómetras, indispensables para el arte de la construcción que desarrollaron los patagónicos y euclidianos. Las sinagogas judías se habían establecido en tiempos de César en Roma y expandido por el resto del Imperio. Con Octavio Augusto, algunos romanos se convirtieron al judaísmo, su influencia fue pues indudable en los *collegia* de los constructores. Este alcanzó un incontestable poder en el siglo III a. C. extendido por todas las ciudades del Imperio.

Existieron también otras corporaciones menores relacionadas con las de arquitectos, como las que agrupaban a los realizadores de planos para las operaciones militares, diseñadores de puentes, arcos, caminos. Tanto las unas como las otras, extendieron la vida, las costumbres romanas, los símbolos y el conocimiento desarrollado en las logias por todo el ámbito del Imperio. Tras su caída, los *collegia* sobrevivieron y aunque las invasiones bárbaras redujeron su impulso, con el establecimiento del cristianismo, resurgieron espoleados por las construcciones de iglesias y monasterios, así como su organización y tradiciones ancestrales.

LOS PRIMEROS TIEMPOS MEDIEVALES

Las invasiones bárbaras no fueron tan traumáticas como cabría suponer porque no ocurrieron a la vez, y porque la mayoría de pueblos estaban romanizados en mayor o menor grado. La sociedad romana no fue del todo aniquilada y muchas de sus estructuras pervivieron a la vez que se produjo por la convivencia la lenta fusión en los pueblos invasores, que, por otra parte, su población estuvo en franca minoría, no llegando a superar el 5% de toda la del Imperio.

La caída del Imperio romano de occidente provocó que fuera la Iglesia cristiana la gran salvadora de las tradiciones romanas, mientras el sumo pontífice fue el nuevo rector de la vida política de Roma. Él y los obispos emprendieron la reconquista espiritual del Imperio. Los *collegia* de constructores sobrevivieron más o menos favorablemente, según los nuevos reinos. Así ocurrió con los de Borgoña y visigodo. Sin embargo, entre los francos y los anglosajones, tuvo que transcurrir el tiempo al compás del afianzamiento de la nueva Iglesia romana, mientras la reconstrucción de los *collegia* fue más lenta. En el norte de Italia, los lombardos respetaban a los maestros constructores transmisores de la geometría euclidiana, la aritmética y los secretos de la arquitectura de forma oral, de maestro a discípulos.

Los conventos cristianos de los siglos VI y VII fueron refugio seguro para ellos, en especial los benedictinos, que contribuirían al nacimiento del período románico y más tarde del gótico.

En sus viajes de evangelización entraron en contacto con los nueve pueblos y esto produjo unas formas organizativas nuevas, aunque sin abandonar la mayor parte de la tradición anterior. Así ocurrió en el ámbito de lo que luego sería Austria, Dinamarca o Bélgica, por ejemplo. La construcción de nuevos templos necesitó de conocimientos profundos que solo poseían los arquitectos. Arquitectura y geometría se catapultaron en la búsqueda de la verdad, meta final de la ciencia, en un periodo de decadencia política y de expansión del cristianismo por occidente.

El Imperio romano de oriente o Imperio bizantino, al subsistir durante diez siglos (395-1453) salvaguardó la cultura y civilización latina en su versión griega. Uno de los problemas a los que hubo de enfrentarse su cristianismo, fue el de las religiones mistéricas que pulularon entre la masa popular, muchas de ellas de origen oriental, Mitra, pero también Atis o el Sol, hasta el punto de que su cristianismo se contaminó en gran manera de sus misterios.

Con la recuperación de territorios occidentales (algunos efímeramente) por Justiniano, los *collegia* se salvaron pasando a llamarse *escuelas (scholae)* ligados a los *collegia* bizantinos.

Clérigos anglosajones, afianzado ya el cristianismo en sus tierras, viajaron a Roma y al sur de Francia en busca de constructores para sus iglesias. El sistema feudal impidió en muchos lugares el asentamiento definitivo de estos por considerar el trabajo artesano y constructor obra de siervos. Los maestros constructores se refugiaron en los monasterios, ya que su reglamentación les proporcionaba un escape para esta condición, cristianizado el reino lombardo de Italia, permitió la continuidad de las agrupaciones profesionales denominadas *Ministerios*. En el 643 el rey Rotario los reconoció por un edicto agrupados alrededor del lago de Como y sus proximidades, por lo que adoptaron el patronímico de *comacini*. Organizados libremente como predecesores, siguiendo las antiguas tradiciones de los colegios romanos, al multiplicarse, decidieron hacerse itinerantes reunidos en una gran sociedad. Los papas aplaudieron su idea, pues mientras se dedicarían a la construcción de iglesias y monasterios en los lugares que los necesitaran, reafirmarían la expansión del cristianismo. Obtuvieron así un monopolio de su trabajo, así como su protección concediendo los diplomas correspondientes y dependiendo directamente de la Sede de San Pedro, exentos de todas las cargas fiscales locales.

En el Imperio romano de oriente, los constructores se impregnaban de orientalismo persa y copto desde Santa Sofía a la veneciana San Marcos, las Galias, Europa Central y Oriental (Rusia). El románico español de algunos lugares (Toro, Zamora) tuvo su sello bizantino. Con ello llegó el sincretismo de tradiciones filosóficas que impregnaron las denominadas herejías como el gnosticismo del que ya hemos hablado y que ha llegado hasta la masonería actual.

La independencia de la Iglesia permitió la movilidad de las nuevas asociaciones de constructores que dependían de ella, aunque loicas, continuaron conservando su antiguo carácter sagrado. Al finalizar la Alta Edad Media y con el nacimiento de las ciudades, los constructores comenzaron a independizarse de los conventos e instituciones eclesiásticas, dispuestos a protagonizar en un futuro próximo el milagro de las catedrales góticas.

LAS CRUZADAS Y LOS TEMPLARIOS

Las cruzadas fueron empresas que, a partir de fines del siglo XI hasta la segunda mitad del XIII, pretendieron rescatar los Santos Lugares de Palestina a los turcos. Fracasaron, pero prolongaron la agonía del Imperio bizantino; la marcha hacia la unidad en los Estados occidentales y entre el pueblo en torno a la figura del monarca y la decadencia del feudalismo. Consecuencias económicas e intelectuales fueron la creación de nuevas rutas comerciales de las cuales se beneficiaron las Repúblicas ciudadanas de Venecia y Pisa; la entrada de nuevos productos en Europa y el intercambio científico y literario, producto también de la permanencia de los árabes en España. Finalmente, las consecuencias religiosas militares fueron entre otras la creación de las Órdenes Militares, sobresaliendo para la cuestión del origen de la masonería la del *Temple*.

La Orden o los Caballeros del Templo o Templarios fue fundada por Hugo Payés en 1118 en defensa de los Santos Lugares de Jerusalén y para la protección de los peregrinos que a ellos acudían, tras su rescate en la primera cruzada (la única que consiguió su objetivo). Ellos serían los que descubrirían en el siglo XII la sabiduría oculta implícita en el Templo de Salomón.

Monjes que lucían votos de castidad, pobreza y obediencia, y aguerridos guerreros transmitieron a occidente buena parte de la sabiduría oriental, pero el enorme poder financiero de los gobernantes (a semejanza de lo que sucedió con los judíos) y singularmente el del rey de Francia Enrique IV, que de acuerdo con el papa Clemente disolvió la orden, sometió a proceso a su gran maestre Jacques de Molay y lo condenó a la hoguera el 18 de marzo de 1314. En la pira mortuoria emplazó ante el Tribunal de Dios a que comparecieran ante el pontífice, el monarca y su mayordomo, Guillermo de Nogaret, para responder por el proceso antes de que concluyera el año, como así sucedió, y la dinastía reinante francesa, también se extinguió en poco tiempo.

Un grupo de templarios se refugió en Escocia donde el rey Roberto los acogió favorablemente, y contribuyeron a preservar la independencia de Escocia. Algunos de ellos establecieron contacto con maestros albañiles que se expresaban a través de una simbología ocultista así como en sus logias.

En la capilla de los *Saint Clair* de Rosslyn, símbolos templarios coexisten con los masónicos posteriores. Quizás los templarios se relacionaran con los maestros albañiles de forma espontánea, dado que algunos de ellos habían sido seducidos en Oriente por cosmovisiones gnósticas, junto con el deseo de que la venganza hacia el papado y a la monarquía francesa, hubiera anidado en su corazón.

Tal supuesta vinculación de algunos templarios a la masonería llenó el vaso de su historia y de su propaganda, y se buscó su enlace en el inicio de los tiempos como receptores de secretos herméticos. Así no es de extrañar que una Orden de los Caballeros Templarios y otros con el apelativo de templarios, lo hicieran en Escocia, Irlanda y EE. UU.

Los templarios enemigos de la Santa Sede por las circunstancias, tuvieron una relación innegable en el siglo

XIV con maestros escoceses. Otra cosa es la cadena de atribuciones con un pasado remoto hermético. Además, existen logias que no acaban de ver lo primero, de forma innegable.

Los constructores de catedrales

En la Baja Edad Media, las corporaciones derivadas de los *collegia*, dieron lugar a los gremios según una antigua teoría, pero esto solo se ha confirmado en las zonas de Italia que se hallaban bajo el dominio bizantino. El gremio medieval es el resultado de la conjunción de dos acciones: la de la libre asociación de los artesanos urbanos, que a partir del siglo XI constituyeron cofradías *(fratermitates)* con fines religiosos y asistenciales y la de los poderes públicos que intentaban controlar la calidad y el precio del producto. Pocos gremios medievales tuvieron tanto influjo y repercusión en la historia posterior como el de los constructores de la Baja Edad Media. No existe la menor duda de que fue el originario de la denominada masonería *operativa* que siglos después, en el siglo XVIII, se transformaría en masonería especulativa, no ya con el fin constructivo, pero sí con un ritual semejante de iniciación, nomenclatura y organización.

El escalón más bajo lo constituían los aprendices que permanecían unos diez años (variables según las circunstancias) bajo el control de un maestro. Después estaban los oficiales, obreros o *cumpagnors* (en los reinos francos). Debían ejercer su oficio "bien y lealmente" junto al maestro durante varios años por medio de un acuerdo o contrato verbal o escrito. Se accedía a maestro realizando una obra maestra o excepcionalmente mediante el pago de un dinero.

En Inglaterra, los gremios custodiaban celosamente las artes de su oficio, que solo enseñaban a personas muy concretas y que se reunían en cabañas llamadas logias. Su objeto era burlar las ordenanzas que fijaban los emolumentos por sus trabajos de albañilería y como tales, estaban sometidos a una reglamentación moral.

Cuando un candidato deseaba ingresar en el gremio, debía prestar un juramento de lealtad y de honradez. En el acto de iniciación, el candidato juraba mantener en secreto todos aquellos hábitos y costumbres del gremio. Sin embargo, no todos obtenían el aprobado. Alcanzar el puesto de maestro albañil, tanto en Inglaterra, como en el resto de Europa Occidental equivalía a convertirse en una de las figuras más importantes del reino. Según los países existieron variantes de los mismos. El nombre de *franc-masón*, deriva del francés *franc-magon* (por mucho tiempo la lengua oculta de Inglaterra) con el significado de albañil libre o *free-mason* o *free-stone-mason*[5].

Se han conservado hasta ciento treinta versiones de las ordenanzas inglesas de fines del siglo XIV en las que se estipulaba la creencia en Dios de sus miembros así como las enseñanzas dentro de la ortodoxia católica, rechazando cualquier atisbo de herejía, obedecer al monarca, no desear

---

5   Es decir, el *albañil* que trabaja la piedra de adorno, para distinguirlo del *rough-mason*, trabajador tosco comúnmente aplicado a los canteros ingleses. Se encuentra en un acta conservada del Parlamento del año 1350, reinando Eduardo III, que en el tiempo se reduciría a la de *freemason* (libres de impuestos). Al ser la mayoría extranjeros, se defendían por encima de todo de pagar estos impuestos, cosa que debían hacerlo las corporaciones autóctonas. En la actualidad, es como si hubieran conseguido en nuestra terminología, la autonomía sindical.

al elemento femenino familiar del maestro, prohibición del juego de cartas durante ciertas fiestas religiosas y de frecuentar los prostíbulos. Aquí estas prohibiciones no diferían de las de los otros gremios, pero es que hasta entonces su finalidad era meramente profesional. Sin embargo, hemos de recalcar cómo los masones posteriores se aprovecharon de la reglamentación para ascender en el escalafón y no se podía transmitir sus conocimientos sin permiso de sus superiores. Sin lugar a dudas, se sentaron las bases para la auténtica masonería especulativa.

Capítulo II
Los inicios de la masonería histórica.
La logia del otoño medieval
y el Renacimiento

Se admite que la palabra masonería deriva, bien del sánscrito "ver", bien del latín *lux* (luz). Ambas etimologías hacen referencia a la visión y a la imagen, señalando que solo se ve con claridad lo que se halla en plena luz. También se emparenta el vocablo con el antiguo *logos* como *"razón"* y con *loggia* en italiano, "estancia", "sala".

La logia era un obrador, un refugio y con frecuencia un edificio permanente. Generalmente, se trataba de una casa de madera o piedra donde los obreros trabajaban resguardados de la intemperie, pudiendo albergar hasta veinte canteros. Desde el punto de vista laboral, se trataba de una oficina de trabajo en la que había mesas o tableros de dibujo y un suelo de yeso para trazar un esquema de la obra. Servía también como tribunal presidido por el maestro albañil que mantenía la disciplina y aplicaba la reglamentación de la construcción.

La construcción de grandes edificios públicos establecía vínculos de estrecha unión entre los artistas y los operarios durante el largo espacio de tiempo en que tenían que convivir, y esto daba lugar a una comunidad de aspiraciones estable y un orden necesario e imprescindible que comportaba una subordinación completa e indiscutible.

La cofradía de los canteros estaba constituida por aquellos operarios hábiles que abarcaban tanto los obreros encargados de pulimentar los bloques públicos, como los artistas que los tallaban y los maestros autores de los planos. En los lugares en que se emprendía una obra de envergadura se construyeron logias y en su entorno habitaciones que constituían colonias y conventos, pues los trabajos de edificación duraban, por lo general, muchos años (y a veces se interrumpían por circunstancias diversas y se volvían a reanudar más pronto o más tarde). Las ordenanzas (*Old Charges*) reglamentaban la vida de los trabajadores con uno de los objetivos principales para lograr una total concordia fraternal, necesaria para la realización de una gran obra.

Durante el final de los tiempos medievales y el Renacimiento, los gremios albañiles no fueron más allá de agrupaciones artesanales que debían cumplir las normas. Todos pertenecían a este oficio, no como más tarde cuando los masones tenían alguna conexión real (si es que la tenían) con él.

Santos patrones

También el gremio de albañiles, como los demás, tuvo sus santos patrones protectores: san Juan Bautista o de verano y san Juan Evangelista o de invierno, así como los cuatro cantos coronados, tal como refieren los estatutos de los picapedreros medievales, vigentes todavía en el siglo XVI.

En los *Estatutos de Ratisbona* de 1559 leemos su comienzo: "En el nombre del Padre, del hijo, del Espíritu Santo, de la bienaventurada Virgen María, así como de sus bienaventurados siervos, los cuatro santos coronados, a su memoria eterna".

Y después de citar a la jerarquía corporativa de maestros, compañeros y aprendices, señala que para entrar en la corporación es necesario haber nacido libre y ser de buenas costumbres, no debiendo vivir en concubinato, ni entregarse al fuego. Es obligatoria la confesión y la comunión, al menos una vez al año, siendo excluidos los bastardos y los masones itinerantes, sin objeto de previsiones especiales.

Más que una profesión artesanal, los miembros del gremio de albañiles medievales fueron considerados como trabajadores de un arte liberal en una situación social relativamente elevada. Su encumbrada posición se revela en la iconografía medieval de Dios Padre como Creador, dibujando el universo con un compás, símbolo que pasará después a la moderna masonería especulativa.

Existen muchas Biblias ilustradas conservadoras en las que puede verse como nota dominante (así como en muchas posteriores) un gran compás con el cual Dios traza el límite del Universo. Compás típicamente medieval, no demasiado grande. Con él el maestro albañil podía trasladar el diseño de un croquis previo más pequeño al tamaño real, en un suelo cubierto de yeso.

Ya a finales de la Edad Media, existen documentos con aspectos que volvemos a encontrar en las logias masónicas modernas. En el Museo Británico se conserva *The Cooke Manuscript* con referencia a una masonería especulativa y no gremial. Escrito en 1450 casi tres siglos después, las *Constituciones de Anderson* reproducen elementos de este texto, como las referencias a las artes y al Templo de Salomón.

El paso a la masonería especulativa o simplemente masonería, tal como en la actualidad la entendemos, tendría lugar los últimos años del siglo XVI, ya en plena edad moderna y sobre todo, a lo largo del siglo XVII. El monarca Jacobo VI, concedió a un tal William Schaw el título de *Máster of the Work and Warden General* (Maestro de la obra y guarda o Vigilante General).

En 1598 fueron decretados por él mismo unos estatutos en los que se consignaban todos los deberes que los masones debían seguir. Un año después se menciona casi sin tapujos el conocimiento esotérico que los miembros de su logia debían alcanzar y hacían una referencia a la logia madre de Escocia: *Lodge Kilwinning*, prueba fehaciente de su existencia ya entonces. Todo ello, según algunos, ha hecho considerar a Schaw como el padre fundador de la masonería, tal como en la actualidad la entendemos, sin embargo, sus estatutos son en su mayor parte un reflejo de las denominadas *Constituciones de los Masones de Estrasburgo* fechadas en 1459 y de los *Estatutos de Ratisbona* de 1498.

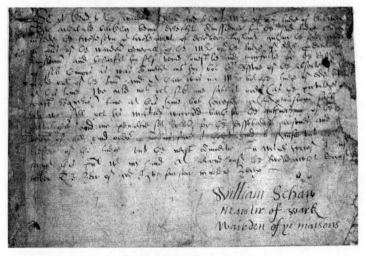

Los Estatutos de Schaw

¿QUIENES ERAN LOS CUATRO MÁRTIRES CORONADOS?

Según la leyenda del siglo XIII recogida por un tal Jacobo Vorágine (que Umberto Eco menciona en su famosa obra *El nombre de la Rosa*) que titularía la *Leyenda Dorada*, al parecer cuatro mártires fueron azotados por orden del emperador Diocleciano hasta morir. En un principio sus nombres se ignoraron, pero al paso de los años, se descubrió que eran escultores y habían sido martirizados por negarse a tallar la imagen de un ídolo. Fueron encerrados en sarcófagos de plomo y arrojados al mar en el año 287. No existe constancia de los talladores de piedra. Se llamaban Severo, Severiano, Carpóforo y Victorino[6].

Los Cuatro Santos Coronados

6   Lledó, Joaquín. *La Ilustración*. Ed. Acento, Madrid, 1998.

Es posible que durante el siglo XVI tuvieran lugar en los antiguos gremios una mutación como consecuencia de su ocasional contaminación esotérica de los siglos anteriores en sociedades secretas de carácter ocultista a la que contribuyó la llegada de otros miembros no precisamente albañiles. La iniciación masónica de John Boswell en la logia de Edimburgo conservada del 8 de junio de 1600, parece referirse a dicho sentido, aunque por el momento fuera originalmente solo operativa o gremial.

Iniciación masónica

Ferrer Benimeli recoge los ritos de iniciación masónica[7] referentes a los usos de los masones canteros y carpinteros de Alemania. Recepción e ingreso en la entidad, el derecho de la logia, los exámenes y el ejercicio de hospitalidad, usos y costumbres que se han perpetuado con gran fidelidad hasta nuestros días.

Finalizando el tiempo de su aprendizaje, el aspirante solicitaba su ingreso. Para ello presentaba una prueba de honradez y de su nacimiento legítimo.

El aspirante recibía un signo (como se conservan en las piedras de los edificios románicos y góticos, lo que servía de sello o logotipo en la época actual) que debía de reproducir en todas sus obras y constituía su marca de humor.

El hermano (*frater, compagnon*) que le había propuesto se encargaba en especial de su dirección. En un día determinado, se presentaba el aspirante en el lugar en el que se re-

---

7   Ferrer Benimeli, José, A. *¿Qué es la Masonería?* Historia 16, Madrid, extra IV noviembre de 1977, págs. 5-19.

unía el cuerpo del oficio, una vez preparado por parte del maestro de la logia el salón destinado para ello. Al estar consagrada a la paz y la concordia la sala, los hermanos entraban sin ninguna clase de arma. Una vez todo dispuesto, así como los asistentes, el maestro declaraba abierta la sesión.

El compañero encargado de la preparación del aspirante, siguiendo una costumbre ancestral pagana, le obligaba a adoptar el aspecto de un mendigo. Tras despojarlo de las armas y objetos metálicos, le desnudaba el pecho y el pie izquierdo y con una venda en los ojos le conducía a la puerta de la sala ceremonial. Esta se abría tras haber llamado dando tres fuertes golpes.

Un segundo compañero le guiaba hasta el maestro y este le hacía arrodillarse, mientras se elevaba una plegaria al Altísimo. Después el aspirante daba tres vueltas a la sala y se situaba ante la puerta, ponía los pies en ángulo recto y efectuaba tres pasos hasta llegar al sitio que ocupaba el maestro, quien tenía una mesa delante y encima de ella se encontraba el libro de los evangelios, así como la escuadra y el compás, instrumentos muy importantes que ya no serían abandonados en épocas posteriores hasta nuestros días.

El venerable maestro hacía al aspirante una serie de preguntas rituales que aquel tenía que contestar según fórmulas establecidas y sin equivocarse. Arrodillado ante la mesa o pedestal, con el pie derecho "en ángulo medio" y las puntas del compás tocándole el pecho, el aspirante, juraba no revelar, escribir, dictar, tallar, marcar, grabar o reproducir de cualquier otra forma parte alguna de los secretos de la masonería.

Finalizada la ceremonia del juramento, se quitaba al aspirante la venda, mostrándole la gran luz. Se le hacía entrega de un nuevo *mandil*, que le reconocía como aprendiz aceptado, designándole el sitio que debía ocupar, y por último, el saludo que posteriormente usaban los aprendices francmasones.

En algunas logias de la actualidad, el juramento es muy semejante al que utilizaban los masones medievales. Se ha conservado en un manuscrito de Edimburgo de 1686 el siguiente:

"Juro por Dios y por San Juan, por la Escuadra y el Compás, someterme al juicio de todos, trabajar al servicio de mi maestro en la honorable logia del lunes por la mañana al sábado y guardar las llaves, bajo pena de que me sea arrancada la lengua a través del mentón y de ser enterrado bajo las olas, allí donde ningún hombre lo sabrá".

Otras variantes serían:

"Que me rieguen el cuello, me arranquen la lengua de raíz y me sepulten en las arenas del mar durante la marea baja, o a la distancia de cien brazas de la orilla, allí donde las aguas suben y bajan dos veces cada veinticuatro horas, o el castigo más eficaz de quedar estigmatizado para siempre como hombre perjuró voluntariamente, desprovisto de toda valía mental y absolutamente indigno de ser recibido en la venerable logia".

En 1641 tuvo lugar en Inglaterra la iniciación de Robert Moray y el 16 de octubre de 1646 la de Elías Ashmole como recuerdan en su *Diario*, en Warrington Cheshire en una logia convocada expresamente para ello. Es importantísimo constatar que en ella "ya no había un solo miembro albañil". El 10 de marzo de 1682 en una misión, que el propio Ashmole realizó a la logia de Londres escribía:

"Recibo una convocatoria para que me presente a una logia (en este caso "reunión") que se celebrará mañana en Mason's Hall".

Lo más importante es que Ashmole se relacionaba con los principales eruditos compatriotas de la época, como Robert Boyle, Christopher Wren, Isaac Newton, John Wilkins. La relación de esta nueva masonería especulativa con los ilustrados es evidente, pero a la vez hay que resaltar que Ashmole era a la vez un claro aficionado del ocultismo que dedicaba buena parte de su tiempo a la alquimia y a la astrología.

Elias Ashmole

Los rosacruces y la masonería

El gran componente gnóstico de la doctrina de los rosacruces influyó en mayor o menor grado en algunas logias masónicas operativas en la segunda mitad del siglo XVII que se hallaban en camino de transformación. Una extraña doctrina al parecer invención del abad de Adelsberg (Alemania), Juan Valentín Andreas, de confesión luterana, basada en la felicidad y la solidaridad. El citado abad creó una historia de ficción sobre un tal *Christian Rosenkreuz*, fundador de la Orden en la segunda mitad del siglo XIV, tal como citaba la obra, *Fama Fraternitatis de la Meritoria Orden de la Cruz Rosada* publicada en Alemania en 1614.

En una Alemania desquiciada por la Reforma, la contraofensiva de la Contrarreforma y la Guerra de los Treinta Años su doctrina hermética prosperó y paró a Inglaterra en donde se fundaron numerosas sociedades extendiéndose por toda Europa, sirviendo como vehículo de transformación masónica.

Fue en Londres donde consiguieron una gran aceptación y contribuyeron a la fundación de la *Royal Society* (1660) en la capital inglesa con el propósito principal de ampliar el ámbito de las ciencias. Todo lo contrario a la concepción sobrenatural que había invalidado con fuerza en aquella época el campo de la filosofía y de la teología. De aquellos grupos saldrían muchos líderes de la nueva masonería especulativa, hasta el punto de crearse un grado importante con su nombre, el de *Caballero Rosacruz* dentro de su escalafón.

En Inglaterra el defensor más destacado de los rosacruces, el médico Robert Fludd (*Rosacruces o Hermandad de la Cruz Rosada*) afirmaba que su sabiduría significaba, en primer término, un nuevo sistema de filosofía natural procedente en parte de la observación de la naturaleza y las estrellas. Sostenía que el universo visible estaba lleno de signos místicos; los iniciados en la verdadera sabiduría podían reconocerlos y alcanzar un conocimiento perfecto de todas las cosas del cielo y de la tierra. La facultad de comprensión, tal como Fludd la veía, la otorgaba al espíritu divino a personas elegidas, puras de corazón, a las que los hombres vulgares no reconocían, pues eran dueñas de riquezas celestiales, pero pobres para el mundo. Los dones del espíritu, terminaba, eran profetizar, realizar milagros, conocer lenguas y sanar a los enfermos. La vida de Fludd se extendería entre 1574 y 1637[8]. Tras cierto oscurecimiento, el *Rosacrucismo* volvió a resurgir espléndidamente en el siglo XIX y se transmitió boyante a los EE. UU.

Robert Fludd

---

8   Otros citan a Samuel Hartlib que llegó huyendo de la *Prusia Polaris* como introductor del rosacrucismo en Inglaterra.

La leyenda de Christian Rosenkreuz se refiere a este como "filósofo, matemático y constructor de instrumentos, que sintió deseos ardientes de realizar una reforma y buscó quien le ayudara". Se le ha comparado a Hiram Abiff, figura principal y alegórica del ritual masónico, el descubrimiento supuesto de su tumba (1614) sería el principio de todo el ancho mundo", tal como llamaba la *Fama Fraternitatis* que mezclaba doctrina calvinista en la *cábala* (tradición esotérica del judaísmo emparentada según algunos, otros lo niegan, con el gnosticismo y hermetismo).

Este elemento gnóstico está presente en los orígenes de la masonería moderna del siglo XVIII:

"Cuando Dios dio la ley a Moisés, también hizo una segunda revelación del significado secreto de tal ley". La *cábala* pretende desvelar el misterio de la creación sin un Dios que existe, pero no es creador: el mundo procedería de un ser primordial por vía de progresivas emanaciones a través de los *Sefirot* (o cones) emanaciones intermedias. Todo lo que existe está ordenado de acuerdo con el alfabeto hebreo, "lengua sagrada usada por Dios para dirigirse a los hombres". Los cabalistas crearon un complicado método de valoración numérica de cada palabra de alfabeto sagrado, una numerología. Y los rosacruces lo tomaron junto a otras ciencias ocultas. Según ellos el mundo debería quedar en el "mismo estado que lo encontró Adán". Pretendían traer su sabiduría del Antiguo Egipto ya en el siglo XIV a. C., los primeros rosacrucianos se reunieron en la Gran Pirámide donde fueron iniciados en los grandes misterios. La influencia en la masonería es evidente. Si el mundo debería quedar en "el mismo estado que lo encontró Adán" podrían ser considerados como los primeros ecologistas.

Símbolo de los Rosacruces

LA TRANSICIÓN A LA MASONERÍA MODERNA

El paso de la masonería medieval de los constructores de catedrales, cualidad que se ha venido a llamar masonería operativa (opera = construir) que poseía la característica principal de observación estricta de la ley cristiana entre sus miembros, la frecuencia a la iglesia, a la masonería moderna (masonería especulativa (especular = meditar, reflexionar, teorizar) puede rastrearse a través de una serie de documentos que permiten apreciar la transición que abarca fundamentalmente de 1660 a 1716, tal como se guardan en la

St. Mary's Chapel Lodge de Edimburgo(en donde se reunía la Gran Logia).

En sus archivos (completos desde 1599) se revelaba cómo paulatinamente durante el siglo XVII, aparecieron junto a auténticos trabajadores de la piedra otros personajes que poseían una profesión absolutamente distinta: abogados, comerciantes, mercaderes y cirujanos.

Sabemos que por aquel tiempo, asistían a las reuniones de las logias aficionados a la arquitectura como *accepted masons* (masones aceptados) o miembros honorarios. Eran patrocinadores de los gremios y les prestaban ayuda económica financiando catedrales y monasterios, pero en el siglo XVI su construcción había llegado a su fin y entonces se dedicaron a hacerlo, en su mayoría, a edificios laicos.

La creación de las academias de Arquitectura, singularmente en Italia, dio el golpe de gracia al sistema gremial de aprendizaje de la construcción y el sistema ritual de secretismo de su oficio. Al terminar la construcción de las grandes catedrales, las hermandades y logias masónicas pasaron lentamente a manos de los miembros adoptivos y así los especulativos llegaron a imponerse a los operativos. Así fue como la masonería especulativa tomó las riendas sobre todo, a partir de 1717 y singularmente en las denominadas *Constituciones de Anderson* en 1723. Durante ese periodo se produjo un cambio político con el paso de la dictadura de Oliver Cromwell (fallecido en 1658 y obligado su hijo Ricardo a dimitir en 1660) a la restauración efímera de los estatutos que acabarían con la revolución de 1688 y la llegada de Guillermo III de Orange, que otorgaría grandes privilegios al Parlamento e inaugura un nuevo sistema de gobierno destinado a tener un gran porvenir.

Constituciones De Anderson

Por cierto que a Oliver Cromwell, que había ordenado la ejecución de Carlos I (1649), algunos le colocaron el "sambenito" de haber impulsado la masonería especulativa, cosa improbable para un dictador.

Diversos trastornos civiles asolaron Inglaterra y singularmente Londres por aquellos años. En 1665 una epidemia de peste declarada en la ciudad provoca noventa mil muertos. Al año siguiente el "Gran Incendio" convierte en cenizas alrededor de cuatro quintas partes de la urbe. El arquitecto Sir Christopher Wren intentó inútilmente transformarla de acuerdo con los planos de codificación por él diseñados, conforme a nuevos criterios. Realizaría la catedral de San Pablo, así como la erección de treinta iglesias. Fue el canto del cisne de los masones operativos europeos reunidos para reconstruir la ciudad.

¿Cuáles fueron los motivos que impulsaron a quienes poco tenían que ver con la constitución a ingresar en asociaciones que iban difuminando esa profesión, aunque conservando la estructura de los antiguos canteros?

Todo son conjeturas. Uno de sus principales "ganchos" de seducción fuera quizás el secretismo y sus misterios con un espíritu semejante al que había engendrado el rosacrucianismo convencidos de que mediante ellos pudieran acceder a la oculta sabiduría. El doctor William Stukeley, primer secretario de la Sociedad de Anticuarios de Londres, confesó que "la curiosidad le indujo a iniciarse en los misterios de la masonería, pues sospechaba que pudiera tratarse de vestigios de los misterios de la antigüedad".

Otro factor fue probablemente el creciente interés de los aficionados a la arquitectura y la antigüedad (que terminaría con el Barroco y alumbraría el Neoclasicismo),[9] aspecto que contribuiría a la citada creación de academias de Arquitectura. Esta afición se espoleó entre los jóvenes ricos interesados en realizar el gran viaje por Europa en especial por Italia, Francia y otros países[10] y que luego regresaban repletos de una pasión por la arquitectura de Andrea Palladio (1530-1580) que se conoció como *palladianismo* y cuyas obras se inspiraban en la Roma clásica.

El ya citado Elías Ashmole, que ingresó en la masonería en 1646, fue fundador del *Ashmolean Museum* de Oxford. También sintió gran interés por la arquitectura medieval y reunió datos para escribir un libro sobre el castillo de Windsor. Por su afición a la cábala y al rosacrucismo se considera

---

9   Knoop, d. y G.P. Jones. *The Genesis of Free masonery*, Manchester, 1947.

10   Tal como narraría Laurence Sterne (1713-1768) en su *Viaje Sentimental*. Así se interpretó la gran piedra sin labrar, propia de todas las logias masónicas se cree que simbolizaba "el hombre en su estado infantil y primitivo, basto y sin pulimento".

que introdujo en la masonería el símbolo rosacruciano y el grado de *Caballero Rosacruz*. Sin embargo, sabemos que asistió pocas veces a las reuniones de su logia.

El cambio de orientación de la hermandad fue un hecho aunque muchos arquitectos como el propio Wren ingresaran en ella, sin embargo, se conservó escrupulosamente el espíritu de la antigua cofradía con sus principales usos tradicionales, se abandonó el arte de la construcción a los trabajadores de oficio, si bien se mantuvieron los términos técnicos y los signos usuales que simbolizaban la arquitectura de los templos, aunque a las expresiones se les dio un sentido simbólico.

Cierto *Manual de bolsillo para francmasones* determinaba:

"Ningún hombre debe alcanzar un puesto elevado en la masonería si no posee por lo menos, un buen conocimiento de la geometría y la arquitectura, y si se cultivaron más las ciencias en las logias, aquello que las reemplaza no ocuparía un lugar tan destacado como por desgracia ocupa hoy".[11]

Últimas palabras que parecen señalar que muchos de los recién ingresados se hicieron masones porque la logia era un buen lugar de reunión con unos excelentes compañeros[12]. Paralelamente se fue desarrollando el simbolismo plenamente masónico moderno con el significado exacto moral en torno a las herramientas y procedimientos del oficio de constructor de edificios.

11   Citado por Mackenzie, Norman: *Sociedades secretas*. Alianza Editorial, Madrid 1973.

12   Entiéndase *logia* como la sala de reunión y como el conjunto de miembros de una misma creencia lo mismo que la palabra *iglesia*.

La piedra labrada, o sillar acabado, simbolizaba "al hombre ya anciano que hubiera llevado una vida ordenada y bien empleada con actos de piedad y virtud que no pueden medirse y aprobarse sino por la escuadra de la palabra de Dios y el compás de la propia conciencia".

El templo masónico reproduce al Templo de Salomón como representación del hombre perfeccionado. En 1663, los masones de Wakefield, al abrir su asamblea en el templo, invocaban primero al "Soberano Creador, el *Shadaï*, Arquitecto del Cielo y la Tierra, dador de todos los dones", etc.

Representación del Templo De Salomón

Al doble esoterismo se asimila, por una parte, la tradición bíblica de dos columnas erigidas en el templo: Jaquín y Boaz. Una leyenda recoge la historia del maestro Amón, arquitecto del Templo de Jerusalén, asesinado por dos masones celosos, extrañamente convertida, en la Edad Media, en la historia del caballero Aymon que, al retornar de Tierra Santa se hace albañil para ayudar a construir la catedral de Colonia y es asesinado también por unos compañeros. En una y otra leyenda vemos la idea de compañerismo negativo de dualidad, oponiéndose al mito de maestría (y de unidad positiva).

Representación de las Columnas Jaquín y Boaz

El Templo de Salomón se torna como representación del hombre perfeccionado. Sin embargo, los nuevos tiempos estaban en contra del dogmatismo y favorecían la tolerancia de cualquier creencia particular que no excluyera la idea del Ser Supremo, esto era el *Deísmo*, creencia de un Dios al margen de las doctrinas teológicas, muy en boga entre las clases cultivadas de las que procederán los nuevos miembros de la masonería. A partir de entonces, la masonería se transformó en una institución, cuya característica era la constitución de una finalidad ética, capaz de propagarse por todos los pueblos civilizados.

En el aspecto jurídico, constituyó la victoria de derecho escrito sobre la costumbre provocando el nacimiento de una nueva idea: la de la obediencia o federación de logias en la que residirá la soberanía. Solo la Gran Logia de Inglaterra tendría autoridad para fundar otras nuevas, dando origen así a la masonería especulativa o regular que según sus miembros "conquistará el mundo".

Las logias se nutrieron a partir de entonces de sabios, poetas, gentilhombres y nobles eclesiásticos. Los señores escoceses del séquito del rey Jacobo Estuardo, cuando se refugió en Francia, fueron los iniciadores en aquel país de la primera masonería de "rito escocés". Durante la última década del siglo XVII al menos existían siete logias en Londres y una en York que se reunían regularmente. La masonería se había transformado en una sociedad de patrones bien definidos.

El objetivo de otros masones libres consistía en liberar a cada hombre, tomado individualmente, de sus cadenas, más que de crear una república de igualdad, consiguiendo una cierta promoción social. Para ello se utilizaba la labor per-

sonal, pero también las celebraciones y el "consejo fraternal". Hay quien dice que para ello se apelaba a la entonces
vigente disciplina jesuítica y a la de los cuáqueros en cuanto
al honor.

Muchos eclesiásticos admitidos en las logias aceptadas
no estaban de acuerdo con un esoterismo incomprensible
para ellos, y manifestaron: "No es la obra la que puede ins-
talar el Paraíso en la Tierra, sino la bondad, la caridad, la
virtud modelo, pues todos los hombres son semejantes y
una ley es suficiente para todos".

LAS CONSTITUCIONES DE ANDERSON

Los *accepted masons* (masones aceptados) habían contribuido a la restauración en el trono inglés del rey Carlos II
de la casa Estuardo de procedencia escocesa (1660-1681)
y masón. Sin embargo, aunque otorgó su protección a las
hermandades, no está claro que recibiera de ellas los au-
xilios necesarios para recuperar la Corona. Al parecer, sus
partidarios terminarían por alejar de las asambleas a los
masones más pacíficos[13] circunstancia que contribuyó a la
drástica disminución de las logias que quedaron casi sin afiliados a comienzos del siglo XVIII. De nada sirvió el celo
desplegado por el gran maestro y arquitecto Christopher,
que tuvo que dimitir en 1712.

Fue entonces cuando la logia de San Pablo de Londres
decretó que los privilegios de los masones serían para todas las profesiones, con el fin de aumentar el número de

---

13   Martín-Albó, Miguel. *Masonería*, Libro, Madrid 2015. Pág.
116 y siguientes.

miembros de las logias decadentes. Así nació la masonería moderna.

Sin embargo, los tiempos revueltos acontecidos durante los últimos años del reinado de la reina Ana (1702-1714) y la subida al trono del rey Jorge I de Hannover, que provocó las revueltas del nombre del pretendiente Estuardo, no permitieron que las reformas de la logia londinense dieran sus frutos, sumidas las demás en una inanición que se agravó con la dimisión de Wren.

En febrero de 1717, la logia londinense puso toda su carne en el asador para reavivar la agónica hermandad. El 24 de junio de aquel mismo año reunió cuatro logias constituyendo la *Gran Logia de Londres*[14]. Fue el tiempo definitivo de la masonería especulativa. Ocho años después las cuatro logias se convertirían en sesenta y cuatro con mayoría londinense. Paralelamente se duplicarían las denominadas *Constituciones de Anderson* y se transformarían en el texto de la masonería especulativa.

La reducción de las constituciones para la Orden del Gran Arquitecto del Universo, corrió a cargo de dos pastores protestantes, Jean-Théophile Désaguliers y James Anderson. El nombre de este último es el que figura en el frontispicio de las constituciones, por lo que desde entonces serán conocidas como *Constituciones de Anderson*. La primera edición apareció en 1723.

James Anderson nació alrededor de 1684 en Aberdeen (Escocia) se hizo pastor presbiteriano y se trasladó a Londres en 1709. Atraído por la masonería en 1721 recibió instrucciones de la gran logia para realizar una reforma de la

---

14   Reunión que se efectuó en una taberna londinense, situada junto a la Catedral de San Pablo todavía no acabada.

antigua constitución. El resultado fueron las famosas *constituciones* ayudado por otro pastor protestante Jean-Théophile Désaguliers, hijo de un pastor y maestro de filosofía experimental en Oxford, gran amigo de Newton y Huygens, aunque en el campo masónico no era más que Cowan, masón no iniciado. Por suerte, su influencia en la evolución de la gran logia inglesa quedó velada, en beneficio de Anderson. Todo lo que se puede decir de ella es que como otras veces, el místico de la fraternidad y el defensor de la observación se aliaban para asegurar el triunfo del hermano.

Jean-Théophile Désaguliers

El texto de las *Constituciones* es fundamental para el estudio de la filosofía de sociedad secreta, así como la conducta a seguir por sus miembros y las líneas maestras de su organización.

En algunas ediciones no figuran los orígenes y desarrollo histórico de la hermandad y aunque son muy peregrinos y fabulosos, son interesantes por el esoterismo y grado de iniciación que encierran.

Según Anderson, Caín ya había sido masón, y habría sido constructor de la primera ciudad porque su padre Adán, el primer ser humano le había transmitido un conocimiento ya bastante elevado de geometría. La asociación había continuado con Noé y sus hijos hasta el punto de señalar el propio Anderson, más tarde, que el primer nombre de los masones habría sido el de noáquidas. Es rarísimo que un hombre de su formación bíblica pudiera escribir semejantes aciertos.

Anderson se refirió después a Euclides, a Moisés, gran maestro masón, sin olvidar a Salomón y a su famoso templo. Se detiene, especialmente, en la figura de Hiram Abiff que lo menciona como "lujo de la vida" y pone énfasis en su muerte y resurrección por no querer revelar los secretos de la hermandad, los ecos de la figura de Jesús son evidentes.

Sin embargo, el relato de este pasaje se tambalea en cuanto la existencia real del personaje, hasta el punto de rechazarlo muchas veces, relegándolo a un relato meramente simbólico.

De Hiram el conocimiento oculto masónico según Anderson, habría pasado a Grecia, Sicilia y Roma, que había producido el estilo augusteo muy estimado por él, y para mayor disparate, habría sido el franco Carlos Martel quien habría llevado la masonería a Inglaterra tras la invasión sajona. Desde entonces la sociedad secreta había sobrevivido en los gremios de albañiles medievales.

Anderson confesaba basarse para su obra en antiguos textos ingleses, escoceses, irlandeses e italianos, cosa totalmente improbable. Además adulteró fórmulas tan trascendentales como la invocación a la trinidad contenida en los textos de los gremios medievales, que según él había guardado el saber masónico. Anderson pues, prescindió de dicha invocación en el encabezamiento primero, recalcando que había llegado la hora de renunciar a sus religiones cristianas anteriores (cosa que habían profesado hasta entonces) y obligándoles solo a esa religión que todos los hombres están de acuerdo (*Deísmo*).

"La masonería se convierte así en el centro de unión y los medios de conciliar la verdadera amistad entre personas que habían permanecido distanciadas".

Así Anderson priva de su carácter cristiano a los gremios de albañiles medievales, con lo que se afirmaba su vínculo histórico, y situaba la asociación por encima de los vínculos que cada uno tuviera con su propia fe.

Anderson y Désaguliers, al utilizar la logia sus fórmula y tradiciones, buscaron en la masonería un lugar de encuentro de hombres de cierto nivel cultural con inquietudes intelectuales que estuvieran interesados por el humanismo, base de una fraternidad universal por encima de divisiones y doctrinas sectarias.

"Un masón es un sujeto pacífico, sujeto a los poderes civiles, que nunca se va a implicar en conjuros o conspiraciones contra la paz y el bienestar de la nación", era un intento ante tantos sufrimientos acarreados a Europa por la Reforma y la Contrarreforma.

El capítulo III trata de las logias y de las condiciones para su admisión en ellas: "deberán ser hombres buenos y veraces, nacidos libres y de edad discreta y madura, no siervos, ni mujeres, ni hombres inmorales ni escandalosos, sino de los que se hable bien".

La masonería sería así como un cuerpo de élite en el que se definen claramente las diferencias por razón de su condición social, sexual y moral, aunque las dos exigencias primeras fueran más estrictas que la tercera. Ningún ataque o disputa serán permitidos en el interior de la logia y mucho menos las polémicas relativas a la religión o a la situación política. Se inculca la práctica de la virtud por el sentimiento del deber, no por la esperanza de premios por el temor de castigos. Los masones por encima de naciones, estirpes y lenguas buscan sobre todo "el bien de la logia", ya que pertenecen a la religión universal.

Luego se exponen los grados de la hermandad y su relación entre ellos (capítulos IV y V).

Su notable dosis de secretismo se mostraba mediante la cautela de sus miembros al hablar de forma que ningún interlocutor pudiera descubrir lo que no era adecuado. El maestro debería saber manejar las conversaciones. Nadie que no fueran sus miembros ni sus familiares, deberían descubrir nada que perteneciera a la logia. Guardadores de la fraternidad universal, no por ello serían expulsados de la hermandad si participaban en conjuros y revoluciones, y continuarían teniendo la protección de la misma.

La masonería se ofrecía así como una sociedad esotérica, una sociedad por encima de cualquier otro vínculo humano, incluidos los familiares y nacionales, tal como quedaba fijada en las *Constituciones de Anderson,* sus valores éticos estaban en condiciones de ser propagados a lo largo y ancho del planeta.

Destaquemos que fue en las logias de masones donde se establecieron normas para evitar todo posible roce que rompiera la armonía y fraternidad, y donde la tolerancia religiosa permita la convivencia entre católicos y protestantes, precisamente en una nación (la iglesia) donde los católicos eran duramente perseguidos.

Capítulo III
El siglo XVIII
Oposición y puesta de largo

Las *Constituciones de Anderson* provocaron una fuerte oposición en algunas de las logias existentes cuyos miembros plantearon objeciones a las normas y ceremonias revisadas según una nueva edición salida a la luz en 1751, sin grandes modificaciones esenciales a las tradiciones de la masonería antigua.

Ese mismo año, algunos miembros disidentes (*Los Antiguos*) crearon una gran logia de oposición y eligieron un gran maestro "según los antiguos estatutos", la gran logia inglesa no la reconoció pero sí lo hicieron las de Escocia e Irlanda. Esta disidencia acaudillada por la logia de York se prolongará hasta el año 1813 gracias a un acuerdo entre los grandes maestros rivales, el duque de Sussex y el duque de Kent, hermanos del rey Jorge IV.

Superando estas controversias en el siglo XVIII, siglo de la Ilustración y del despotismo ilustrado, la nueva masonería se desarrolló extraordinariamente en países tan dispares como Austria, Italia, Portugal, Suiza, Francia, Holanda, Bélgica, Alemania, Suecia, México, Inglaterra, Perú, etc., como gran asociación admiradora de la armonía de la naturaleza que llenaba los espíritus prerrománticos, y que permitía a cada individuo encontrar en las logias su bienestar, gracias a la tolerancia con el prójimo.

Según la autobiografía del duque de Montagu, escogido el gran maestro en 1721, la masonería "se convirtió en moda pública". El duque de Montagu inauguró la costumbre de que el gran maestro recayera en un miembro de la nobleza o incluso de la familia real, costumbre que se extenderá a lo largo de los tres siglos siguientes.

Duque de Montagu

Los desfiles armados por las calles londinenses luciendo sus complots mandiles, poco tenían que ver con el secretismo de la asociación. La mayoría de sus miembros pertenecía a la clase media acomodada, y su respetabilidad estuvo fuera de toda duda, tal como lo continúa siendo en la mayoría de países protestantes.

La expansión recibió un impulso extraordinario, sus causas fueron varias: la clase media y la naciente burguesía vieron un medio a través de ella para codearse con la aristocracia. No excluía ni a católicos, ni a judíos, incluso los miembros de procedencia más humilde, como los aristócratas, podían recibir (aunque fuera teórico) un conocimiento presuntamente oculto, reservado a los iniciados, y tenían como aliciente poder sentarse al lado del duque. Por último, el conocimiento establecido en el seno de la logia espoleaba la creación de relaciones de primer orden en campos tan sugestivos como los negocios, la política o la influencia social.

Los tres primeros grandes maestros de Inglaterra fueron de ciencia; pero el cuarto, fue un duque. Desde entonces los grandes maestros han sido con frecuencia miembros de la familia real y entre ellos los más encumbrados fueron el príncipe de Gales (luego Eduardo VII) y el duque de York (después Jorge VI).

Siguiendo los postulados masónicos, las logias inglesas fueron ajenas a las disputas religiosas, manteniéndose totalmente al margen, así como de las luchas políticas, y se pusieron del lado de la dinastía Hannover a la sazón en el trono, la constitución parlamentaria (no escrita) y la tolerancia religiosa bajo la tutela de la Iglesia anglicana.

En 1725 un grupo de terratenientes ingleses que se habían establecido en París fundaron una logia en 1725. Sin embargo, fueron los protestantes holandeses, enemigos de los británicos en el siglo XVI, por el dominio del mar, los primeros que alzaron la voz en contra de la presencia de logias especulativas en su suelo debido a la absorción en parte del contenido espiritual de sus enseñanzas protestantes incompatibles con el cristianismo y también por el peligro de conspiraciones a través de las logias.

En 1737, Luis XV de Francia promulgó un decreto que prohibía tener cualquier trato con la francmasonería por parte de sus súbditos porque su entramado doctrinal no era compatible con el catolicismo y también porque el potencial subversivo de que disponían, era evidente. Las logias celebraban sus (temidas) reuniones unas veces en plena libertad y otras llegaba la policía y sus miembros eran apresados.

Por último, el 28 de abril de 1738, el papa Clemente XII dio un documento papal que prohibía a los católicos pertenecer a la masonería so pena de excomunión y basaba tal interdicto en consideraciones doctrinales y, sobre todo, el rechazo pleno a la cosmovisión masónica por parte de la confesión católica. La Santa Sede se daba perfecta cuenta de las consecuencias políticas derivadas de la acción de las logias. El interdicto fue renovado por Benedicto XIV en 1751.

Todo ello impidió su desarrollo en algunos países católicos como España, Nápoles y otros. La masonería contestó a esta persecución, argumentando la existencia de la Inquisición, para construirse una imagen de tolerancia, libertad y martirio. El juicio en Portugal en 1744 de un tal John Coustos, conspicuo masón inglés acusado de la fundación de algunas logias, movió a la Inquisición al ser extranjero a castigarle solo con la expulsión. Sin embargo, el hecho trajo una corriente de simpatía de los europeos, en especial, británicos hacia los masones y de animadversión hacia la Iglesia católica en países como Prusia e incluso Austria por la tolerancia de sus monarcas.

John Coustos

Federico el Grande de Prusia (1740-1786) dos años antes de subir al trono fue iniciado en la logia de Brunswick. Llegó a ostentar el título de gran maestro, pero su política interior y exterior, como el auténtico padre del militarismo prusiano, no es que pueda considerarse como un modelo defensor de la libertad.

Federico II fue un genio de la guerra que le agradaba reunirse con intelectuales, y a pesar de las continuas guerras y el descuartizamiento de Polonia, fue un referente para los masones que en su país encontraron su protección y una vía sin trabas para el acceso al poder.

Ante ejemplos como el de Federico II y los ingleses, y a pesar del interdicto papal, Luis XV se decidió entonces por una política de tolerancia en suelo francés. Pronto el abad de Saint Germain des Prés fue gran maestro del país (Luis de Borbón, conde de Clermont). La gran logia inglesa se transformó en el país en *Grande Loge de France* y en 1733 adoptó el título definitivo de *Grande Loge National* o *Grand Orient*.

Como había recurrido entre los ingleses, los franceses deseaban tener un gran maestro de sangre real y propagaron el infundio de que Luis XV había sido iniciado. Luis XVI se negó tajantemente a ello. Fue su hermano menor Carlos de Artois, el que sí lo hizo y cuarenta años después Carlos de Artois llegó a conseguir el trono con un sistema de gobierno de lo más absolutista y retrógrado que provocó la revolución de 1830. Sin embargo, no quiso ser gran maestro, título que después de varias rogativas aceptó Luis Felipe de Orleans, hijo del duque de Orleans (primo de Luis XVI y que después de votar su muerte siguió su misma suerte).

Luis Felipe llegó a ser también rey de Francia, pero fue derrocado por la Revolución de 1848.

Los príncipes de otros estados alemanes y Francisco I de Austria fueron también iniciados. Mozart por su admiración que profesaba a Haydn entró en la masonería en 1784 y aludió a ella en *La Flauta Mágica* (1791), aunque de las logias el emperador José II, hombre liberal, les dispensó su protección, no así su madre la emperatriz María Teresa[15].

En *La flauta mágica* se identifica la tradición masónica con la egipcia y las almas caminan a la salvación ayudadas por los misterios de Isis y Osiris.

15   A pesar de su esfuerzo, Francisco de Lorena sí era iniciado.

Desviaciones y nuevos ritos

Uno de los mayores atractivos de la masonería es su contenido esotérico, misterioso, secreto, cuyas raíces se hundía supuestamente en épocas remotas. Sin embargo, también es una cualidad muy delicada porque siempre ha existido la posibilidad de que maestros masones inventaran nuevos rituales cuyo objetivo fuera la revelación de esos conocimientos herméticos. Su sincretismo intenta conciliar o armonizar teorías diferentes en opuestos como por ejemplo retrotraerse al antiguo Egipto, Noé, Pitágoras o los druidas.

Así sucedió con el nuevo rito alrededor de 1750 llamado *Royal Arch*, atribuido sin pruebas fehacientes a un tal Andre Michel Ramsay (1686-1743), nacido de padre luterano y madre anglicana, y convertido al catolicismo por Fénelon, aunque otra hipótesis quizás más plausible se refiere a una logia irlandesa de Youghal. Este rito pretende dar cumplida respuesta a cualquier pregunta sobre la masonería.

Símbolo Royal Arch

Andre-Michel Ramsay

El caballero (*chevalier*) Ramsay como él mismo se llamaba, fue preceptor en su juventud, después secretario particular y un gran viajero. En Holanda se tiene la curiosa idea de que fue iniciado en el *criticismo*.

De los países Bajos pasó a Francia donde fue secretario de Fénelon. Marchó después a Escocia a la corte del rey Jacobo II ya como *baronet* (pequeña nobleza) en 1730, y acompañó a poetas como Louis Racine y Jean Baptiste Rousseau, su obra principal es su *Discurso* que pronunció entre 1736 y 1738 en la logia de Lunéville en la que anunció la necesidad de establecer leyes esotéricas precisas "válidas para los siglos venideros". Estas reglas habrían de tender a promover "la república, de la que cada nación es una familia y cada particular un hijo". Pero los hombres que conviene reunir "son aquellos que, poseyendo un espíritu ilustrado, costumbres dulces y humor agradable", estaban igualmente abiertos al amor de las Bellas Artes, así como a los grandes principios de virtud, ciencia y religión.

Asociados estos principios a los de los antiguos cruzados, "luego a los de los reyes y los príncipes que, de regreso de Palestina, fundaron logias en sus Estados", Ramsay revela por fin que existe otra masonería distinta de la de Anderson, fundada por los príncipes escoceses ya en el siglo XIII y de la cual el rey Eduardo III se pretendía que fuera su protector.

El *Discurso* fue condenado desde todos los rincones, pero quedaba sembrado el germen para la creación del rito escocés, y los Estuardo, agradecidos, desde el exilio, exigieron que el cuerpo del fundador reposara en la tumba de su familia, en Saint-Germain en Laye, allí continuó hasta que sus restos, como los de tantos otros fueran dispersados por la Revolución francesa.

Paralelamente a la aparición de nuevos ritos (hacia 1743), siguiendo las enseñanzas de Ramsay, más o menos comprendidas, se fueron sumando grados a los tres originales de aprendiz, compañero y maestro hasta llegar a 33 en algunos casos y a más en otros, en los que, presuntamente, se iban revelando nuevos conocimientos de iniciación. Mientras que algunas logias adoptaron el misticismo de los rosacruces siguiendo a Johann Schrepfer de Núremberg, que pregonaba su predisposición para fabricar oro y exorcizar a los espíritus.

Las divisiones continuarían. En 1751 la gran logia de York se separó de la de Inglaterra alegando que se regiría por una antigua constitución masónica que se remontaba supuestamente al siglo X. Así se arrojó el título de antigua gran logia frente a la moderna londinense a la que motejó con dicho apelativo en desprecio. Los principales núcleos de la masonería francesa se emplazaron en París, Burdeos, Lyon, Marsella y Toulouse.

Hacia 1730 se instituyó por primera vez el embrión de una logia más que femenina mixta. Las reglas de un tipo de asociación femenina no se fijaron hasta 1760 y su reconocimiento no tuvo lugar hasta 1774.

Curiosamente en la Orden de las Felicitarias los grados o cargos eran náuticos: grumete, patrón, jefe de escuadra y vicealmirante, era natural que el grado equivalente al de gran maestro fuera el de almirante.

En 1745 se creó la Orden de los Caballeros y Damas del Áncora y poco después Orden de los Partidores de Leña con referencias simbólicas al bosque. Las Órdenes del Hacha o de la Cuerda tuvieron un aire más popular y festivo.

Mientras tanto la masonería se había extendido por toda Europa alcanzando a la mismísima Rusia.

LA MASONERÍA INFLUYE EN LA ENCICLOPEDIA

Al compás de la creación de logias masónicas se fueron creando sociedades e instituciones culturales vinculadas a aquellas, así por ejemplo, los *Societé des Arts* surgida en 1726 que reunió inventores, técnicos, científicos, artistas, para los que la ciencia y las artes no eran más que una base sustentadora de sus principios morales y éticos.

El entonces gran maestro conde de Clermont, acogió bajo su protección a la *Societé*.

Fue precisamente Ramsay el gran impulsor de la idea entre las logias francesas de que cada uno de sus miembros, que por entonces se evaluaba en tres mil, donasen la cantidad de diez luises para sacar a la luz un diccionario universal en lengua francesa a semejanza de la *Cyclopedia* británica de Chambers (1728) que reuniese por orden alfabético todos los conocimientos humanos.

El editor Le Breton puso manos a la obra en 1747 y tras ser en principio un simple traductor, Diderot se encargó de la dirección de la misma, ayudado principalmente por D'Alembert.

El primer volumen salió a la luz el 1 de julio de 1751. La adaptación se había convertido gracias a Diderot, en una obra completamente original, con una doble función: informativa y de polémica ideológica; en este último aspecto, al rechazar el concepto de autoridad y la tradición en nombre del progreso, causó gran escándalo y los jansenistas[16], jesuitas, la alta aristocracia y el estamento parlamentario se pusieron en contra consiguiendo su prohibición en 1752. Papel mojado porque la publicación siguió adelante gracias a la intervención de la marquesa Madame de Pompadour y el director de la librería *Malesherbes*.

Sin embargo, en 1759, cuando ya se habían publicado siete volúmenes, la obra estuvo a punto de paralizarse, pero entonces se impusieron razones económicas (los editores habían realizado grandes gastos) y más o menos clandestinamente, se prosiguieron los trabajos, de modo que en

---

16   Doctrina predicada por el holandés Jansenio (1585-1638) incluidos en su obra *Agustinus* (1640). Fue un partidario radical de San Agustín y se enfrentó a los jesuitas. El jansenismo propugnaba un rigorismo moral radical y pretendía limitar la libertad humana a partir del principio de que la gracia se otorga a algunos seres desde su nacimiento y a otros se le niega (ideas semejantes a la presentación calvinista). Se puso en boga entre los siglos XVII y XVIII.

1765 ya habían aparecido los 17 volúmenes de texto y en 1772 los 11 volúmenes de grabados. Entre los principales colaboradores además de Diderot y D'Alembert, figuraban Voltaire, Montesquieu, Buffon, Grimm, Rousseau (artículos de música), Marmontel (crítica literaria), Quesnay y Turgot (economía), Dumarsais (gramática), Daubenton y la Condamine (ciencias naturales y geografía), Morellet (teología), Duclos (historia), etc., la mayor parte, miembros de las logias o impregnados de su doctrina, lo que daría origen al denominado movimiento enciclopedista que perduró hasta los albores de la Revolución.

La masonería puso su granito de arena en lo relativo a los aspectos de la igualdad medieval entre los seres humanos, así como con las tesis acerca de la validez de la razón. Su trascendencia sería extraordinaria para el futuro, tanto próximo (1789 no tardaría en llegar) como del siglo XIX en toda Europa y en toda América.

Había sido el duque de Antin, el primer gran maestro de la Gran Logia de Francia, el que en 1738 propuso, como coronación de la moral universal masónica y de la unidad del género humano, la redacción de la enciclopedia.

Así fue su declaración:

"Los grandes maestros de otros países unen a todos los sabios y artistas pertenecientes a la Orden (masonería) para redactar un manual universal que comprenda todas las artes liberales y ciencias, con excepción de la teología y la política (cosa no del todo exacta). Esta obra ya se había comenzado en Inglaterra. Mediante la acción conjunta de nuestros competentes *hermanos* sería posible realizar algo excelente en pocos años".

El historiador británico Alfred Cobban escribe:

"El siglo XVIII fue la gran época de la francmasonería en el sentido moderno —es decir, no un gremio profesional, sino una sociedad secreta en la que se mezclaban la filantropía y la riqueza— las logias masónicas, lugares de reunión de masones con tendencia social, contribuyeron a la difusión de las ideas liberales" [*Historia de las Civilizaciones*, tomo 9. (El siglo XVIII) p. 431.]

Junto a las indudables consecuencias positivas de la Ilustración, aflojaron pronto las consecuencias negativas, en especial, a partir de 1789. En 1775 Pío VI condenaba sin mencionarla a la masonería por la encíclica. *Inscrutabili divinae sapientiae* y es que en la propia Iglesia católica, comenzaban a infiltrarse los "hermanos". Pío VI fallecería en una prisión francesa el 29 de agosto de 1799. Sus restos fueron trasladados a Roma en 1802 siendo sepultado en San Pedro en un mausoleo erigido por Canova.

Dos embaucadores de pro: Casanova y Cagliostro

Como suele suceder, lo positivo va acompañado de lo negativo, y la sociedad del antiguo Régimen por lo que respecta a la masonería, no pudo librarse de ello. A lo largo del siglo XVIII, una nutrida serie de estafadores, libertinos y vividores, nutrió sus filas, a los que no solo no expulsó, sino que en aras de la libertad les ayudó en ocasiones a zafarse de la justicia, citaremos dos casos: la del apuesto Casanova que algunos han denominado el don Juan italiano y la de José Bálsamo (*Cagliostro*) que trajo a la sociedad de su época.

Giacomo Girolamo Casanova nació en Venecia en 1725. No es nuestro propósito narrar sus aventuras contadas por él mismo[17], solo nos referiremos a su iniciación masónica en Lyon (1759), pasando por alto que para ello fuera "un varón de buenas costumbres" en aras de un conocimiento de lo hermético (más o menos profundo) en parte atractivo y de ser agradable trato. Por otra parte, como ya hemos señalado, una vida irregular incluso al margen de la ley, no era ningún obstáculo para seguir perteneciendo a la logia e incluso sus hermanos podían protegerle. Esta ayuda fraternal estaba por encima de las prácticas filantrópicas.

Giacomo Girolamo Casanova

---

17   G.G. Casanova: *Memorias*, 5 vols. Madrid, Aguilar, 1982.

Por último, nos encontramos con ese afán de la Europa Ilustrada por la búsqueda de lo esotérico, lo hermético que tanto impulsó al desarrollo de la masonería especulativa.

Sin embargo, Casanova aunque fuera iniciado en la misma, y sus hermanos masones siempre la defendieron pretendiendo gozar de poderes ocultos, ni fundó logias, ni transmitió ninguna verdad oculta, fue un simple embaucador que se aprovechó de su encanto, en especial con el género femenino.

Cagliostro ya es harina de otro costal. Nacido en 1743 como José Bálsamo en Palermo, Sicilia. Hijo de un humilde quincallero que murió en la miseria y de una mujer con delirios de grandeza, confiado a sus tíos maternos inició desde muy joven una ininterrumpida cadena de fechorías y de visitas a la cárcel. Intentando llegar a Egipto, símbolo masónico de primer orden, recaló en Malta donde todavía gobernaba la orden de caballeros de San Juan de Jerusalén. Su gran maestro buscaba con ahínco la piedra filosofal, pero un accidente mató al compañero de fatigas de José Bálsamo y este tuvo que abandonar la isla —sus estafas continuaron.

Pasó por Roma en donde contraería matrimonio con una mujer que se dedicaría a la prostitución para poder vivir y codearse con las personalidades del momento.

Tras muchas aventuras por diversos países, el matrimonio recaló en Inglaterra en donde en 1777 se inició en la masonería ya como conde de Cagliostro (título de su invención) en una logia de inmigrantes italianos y franceses que aplaudieron la llegada del supuesto aristócrata.

Ya como iniciado en los tres primeros grados de la masonería, en Holanda tuvo un éxito extraordinario, inventando supercherías de transmutaciones en oro.

En Alemania (Prusia) conoció a un tal don Pernety, expulsado de la abadía benedictina de Saint Germain de Prés y que Federico II, masón convencido, lo había nombrado conservador y miembro de la Academia Real de Berlín, quien había entrado en contacto con los Iluminados a los que nos referiremos después, aunque quizás no perteneciera a ellos. El exbenedicto se inventó un extremo rito especial con ángeles incluidos que si a Cagliostro no entusiasmó, hizo como tal, porque le interesaba tenerle como protector.

Cagliostro creó así su propio ritual que vertió en un libro que tituló: *Ritual de la masonería egipcia* en el que admitían todo el esoterismo vigente hasta entonces reconocida su relación con Isis, Osiris y los arquitectos egipcios.

Cagliostro

Este rito en el que entrarían hombres y mujeres, sería presidido por él, elevado a la categoría de gran copto. Sería ayudado por doce maestros (profetas) y siete muestras (sibilas), con unos mandamientos genuinamente masones; amor a Dios y al prójimo, y el respeto al soberano y a sus leyes. Lo innovador eran sus promesas: visión beatífica, la perfección, el poder de invocar espíritus y la regeneración física y moral, auténtico programa gnóstico que casaba bien con la masonería que pretendía redimir a Adán y reunirlo en una visión beatífica con la divinidad. Enseñarle un camino de bien, virtud y sabiduría (la perfección), de los secretos de la nigromancia greco-egipcia y por último alcanzar la inmortalidad y la eterna juventud.

El cristianismo se puso en guardia a pesar de que Cagliostro insistiera en su compatibilidad. La gota que colmó el vaso, fue el emblema simbólico que adoptó de una serpiente con una manzana en la boca y una flecha que le traspasaba la cola dirigida hacia abajo ¿Pretendía con el culto a la serpiente, significar que se abría el arcano de Satanás? ¿Serían como dioses?

Europa se rindió a sus pies incluso con sus supuestos milagros perpetrados en la corte de Catalina de Rusia y hasta llegaron a invocarle como "Dios mío", creyendo a pie juntillas lo que explicaba: que había nacido antes del Diluvio Universal, que se había embarcado en el arca de Noé y que había sido amigo de Moisés y Salomón, discípulo de los faraones y de Sócrates, compañero de Hermes Trismegisto y de Jesús al que le había dado consejos para salvarse de la Cruz, aunque a veces contaba otro relato con orígenes arábigos. Sus sesiones de espiritismo parecerían proverbiales.

Un asunto turbio de un collar en el que se mezclaron estafadores profesionales, el cardenal de Rohan y la propia reina María Antonieta, precipitó su caída y su reclusión en prisión. Finalmente resultó absuelto, pero tuvo que abandonar París.

Alcanzó Londres en 1786, pero fue recibido con frialdad. Se dirigió a Italia e intento que el papa Pío VI le escuchara. La inquisición intervino y fue puesto en prisión. Un juicio lo condenó a muerte, pero le fue conmutada la pena por la de cadena perpetua. Falleció en la cárcel en 1794, pero su fascinación por el ocultismo pervivirá durante siglos. La masonería utilizó su proceso para desacreditar a la Santa Sede y convirtió a Cagliostro en un mártir[18].

Los Illuminati

Durante el siglo XVIII algunos reformistas y francmasones se esforzaron en los países europeos por reunir y organizar a hombres elegidos que difundieran el saber y sirvieran a la causa de la libertad. Mirabeau que presidiría la Asamblea Constituyente de Versalles de 1789 (y que no está claro que fuera masón) redactó el proyecto de una "sociedad íntima" organizada según el modelo de la Compañía de Jesús a la que combatió:

"Nuestras ideas son en todo opuestas (a las de ella) —escribió— deseamos ilustrar a los hombres, hacerlos libres y felices, pero ¿quién nos impedirá hacer para bien, lo que los jesuitas han hecho para mal?"[19]

18   Ballester Escalas, Rafael: *Grandes enigmas de la Historia*. Barcelona, ed. Mateu, 1964, p.p. 493-506.
19   Citado por Mackenzie Norman: *Sociedades Secretas*. Madrid, Alianza Editorial 1973.

El plan lo puso en marcha Adam Weishaupt (1748-1830) en Baviera en 1776. Catedrático de Derecho Canónico de la Universidad Católica de Ingolstadt en Viena. Su ascendencia judía pudo influir en sus puntos de vista, tanto expresados en clases como privadas, no muy ortodoxos y los plasmó en la sociedad secreta de los *illuminati* (los *iluminados*).

Sus propósitos, aprobados por los miembros fundadores serían:

"Hacer el perfeccionamiento de las facultades de la razón interesante para la humanidad, difundir el conocimiento de los sentimientos, tanto humanitarios como sociales, reprimir las malas inclinaciones, defender la virtud dolorida y oprimida, facilitar la adquisición de conocimientos y de saber científico"[20].

La pretensión de Weishaupt consistía en valerse de los resortes que poseía la masonería como sociedad secreta extendida por el continente para alcanzar sus objetivos de cambio social y político. César Vidal en su obra *Los masones*[21] recalca que Weishaupt adoptó como nombre secreto el de *Spartacus* (Espartaco), el gladiador que se había sublevado contra Roma en el siglo I a. C., causando un gravísimo trastorno.

Los escritos del propio Weishaupt se refieren a más premoniciones:

"Los príncipes y las naciones —vaticino— desaparecerán sin violencia de la tierra, la raza humana se transformará

20   óp. cit. pp. 175-176.
21   Vidal César. *Los masones*. Ed. Planeta, Barcelona 2005.

en una familia y el mundo será la vivienda de los hombres razonables. La moralidad por sí sola, bastará para realizar esta mudanza imperceptiblemente".

Y preguntaba:

"¿Por qué ha de ser imposible que la raza humana alcance una altísima perfección y la capacidad de guiarse a sí misma?"[22]

Weishaupt no pertenecía a la masonería cuando fundó la sociedad de los iluminados, pero ingresó en la hermandad al año siguiente. Tenía la pretensión de infiltrarse en las logias y dominarlas para elegir a sus iluminados, entre los masones el barón alemán Adolph von Knigge, interesado como tantos otros en el aspecto esotérico de la masonería y sus secretos herméticos, cuya obtención les produciría la anhelada iluminación (de ahí su nombre).

A los dos se unió el librero llamado Johann Bode y otros compañeros consiguiendo éxitos notables durante algún tiempo. Las logias masónicas de Múnich y Eichtad se transformaron en noviciados de iluminados e influyen sobre otras. Todo funcionaba a la perfección y el grupo pasó de cinco miembros a más de dos mil quinientos repartidos por sectores sociales relevantes. Pero entonces Knigge decidió abandonar a los iluminados. ¿Cuales fueron las causas?

Los jesuitas lanzaron una contraofensiva ayudados por las autoridades de la piadosa Baviera y aprovecharon los escándalos personales (por ejemplo, las circunstancias de que Weishaupt tenía un hijo ilegítimo) para desprestigiar

22   Mackenzie Norman, *Sociedades Secretas,* óp. cit. pág. 175.

la asociación. En 1784 el elector de Baviera puso fuera de la ley, tanto a los masones como a los iluminados. Weishaupt perdió su cargo en la Universidad y marchó al exilio temiendo que lo encarcelaran. Sin embargo, pudo salir libre de cualquier sanción legal.

Hay quien ha querido seguir el rastro de este grupo en el estallido revolucionario de 1789 y adjudicarles un papel de primer orden en la independencia de EE. UU. en años posteriores. Con el paso de los años han surgido grupos más o menos relacionados con la masonería que han pretendido buscar una descendencia con los iluminados. No existen pruebas fehacientes de ello.

César Vidal en su obra ya citada[23] se refiere a uno de esos grupos fundado en España por Gabriel López de Rojas en 1995, que adoptó el nombre de Orden *Illuminati* con la pretensión de recuperar el ritual de la sociedad secreta original.

El papel desempeñado por la francmasonería en el ambiente intelectual de la Ilustración le ganó nuevos adeptos e iba a pesar en la Declaración de Independencia de los EE. UU. y sobre todo, en la Revolución francesa.

LA MASONERÍA EN LA INDEPENDENCIA DE LOS ESTADOS UNIDOS

La masonería no llegó a las 13 colonias norteamericanas hasta después de 1717 mediante la creación de logias de carácter militar. La gran logia inglesa designó un gran maestro provincial para su control. Pronto sus miembros se reclutaron entre otros estamentos sociales espoleados por

23   César Vidal. *Los masones,* óp. cit. pág. 75.

la llamada de lo místerico y también por considerar que las logias eran un excelente lugar de reunión y de trabar sólidas amistades promocionales. No puede negarse, sin embargo, a los que se afiliaron pensando que era una excelente herramienta para cambiar las cosas en el aspecto político, aunque en principio se mostraron neutrales, siguiendo la tradición de las británicas. Sea como fuere, algunas personas sobresalientes fueron un claro enlace entre la francmasonería, las nuevas ideas políticas y la lucha por la independencia.

Benjamin Franklin

Benjamin Franklin nacido en Boston en 1706, se afilió a la *Sociedad Filosófica* Americana de tendencias racionalistas y en 1731 recibió la iniciación en Londres en busca de una cosmovisión espiritual diferente de la puritana. Este paso le sirvió para recabar, años más tarde, la ayuda de Francia en la causa de la emancipación. Es probable que a Franklin le importaran muy poco las ideas esotéricas, lo que deseaba era granjearse con ello la amistad francesa, pronto llegó a ser gran maestro de Pensilvania.

Otros famosos francmasones norteamericanos fueron George Washington, comandante en jefe norteamericano y futuro primer presidente de los EE. UU. y aunque fue iniciado en el tercer grado de la masonería en 1753, al parecer solo acudió dos veces a las reuniones de su logia. Sin embargo, la masonería pregonó a bombo y platillo la colocación de la primera piedra del Capitolio de Washington al que asistió con el mandil mágico como maestro de cartas en la logia de Alexandria.

Alexander Hamilton y héroes revolucionarios como Paul Reveré y el almirante John Paul Jones, también fueron iniciados así como Lafayette que representó el nexo de unión con la Francia de la Revolución.

De los 55 formantes de la Declaración de Independencia, solo 9 eran masones con muy poco apego a sus postulados y de los 39 formantes de la Constitución solo lo fueron 13, e incluso algunos más tarde. En realidad, al estallar la Revolución emancipadora en 1775, solo lo eran tres con pleno derecho de afiliación.

Nadie duda que después su peso acabó siendo relevante, pero en sus inicios el protagonismo se lo llevó la Iglesia protestante más cercana al puritanismo, protagonismo acrecentado con la llegada de los puritanos, muchos de ellos gobernadores de las antiguas 13 colonias o fundadores de ciudades como William Penn, fundador de Pensilvania y de la ciudad de Filadelfia, cuáquero, pero con gran influencia puritana. También las primeras universidades como Harvard, Yale y Princeton tuvieron un origen puritano.

Al estallar la guerra de emancipación, la mayoría era puritana de procedencia escocesa, inglesa o calvinista de origen holandés, alemán o francés, hasta el punto de que desde Inglaterra se tachó de "rebelión presbiteriana", incluso algo más de la mitad del ejército a las órdenes de Washington, lo era la influencia de la masonería, aunque algunos quisieron magnificarla, fue pues en principio relativa.

La gran logia de Nueva York no fue constituida como gran logia provincial hasta 1781, las de Pensilvania, Georgia y Nueva Jersey lo fueron en 1786 y al año siguiente, las de Carolina del Norte y Carolina del Sur.

Por último, entre 1789 y 1794 se crearon logias independientes en Nuevo Hampshire, Connecticut, Rhode Island y Vermont, todas ellas, años después de la emancipación.

Símbolo comúnmente asociado con los Illuminati

La masonería y la Revolución francesa

En 1789 la chispa encendida y atizada desde hacía años, hizo estallar la Revolución francesa en un país de más de 24 millones de habitantes, agotado por las guerras, el hambre y la miseria, con una coyuntura con todos los países europeos y frecuente en las economías preindustriales y un Estado, más que pobre, mal administrado.

Solo unos cuantos miles de privilegiados (la nobleza, el alto clero y la alta burguesía, siempre dispuesta a escalar cargos políticos reservados por la ley a los nobles (*privi-legios* = leyes privadas) y emparentarse con ellos, vivían en mayor o menor grado holgadamente. El 80% de la población —como casi toda la sociedad del Antiguo Régimen—, vivían de la agricultura. Su situación tampoco era idéntica. Había diferencias notables entre un gran propietario y un jornalero, sobre todo si era vasallo de un señor. Estos además de los impuestos que todos pagaban, tenían que pagar a su señor como mínimo otros cinco impuestos diferentes, y si eran vasallos de señoría eclesiástica tenían que cotizar el diezmo. Por si fuera poco, cuando el ministro de hacienda Necker publicó el estado de cuentas nacional, reflejó que un 23% del presupuesto estatal correspondía a "gastos de la Corte". Deficitaria la Hacienda, los ministros de Luis XVI decidieron recurrir a un nuevo impuesto sobre las tierras.

Durante todo el siglo XVIII en toda Europa y, en especial, en Francia, tertulias, casas de nobles, mansiones lujosas de la alta burguesía y las logias masónicas: 198 se conocían en la Francia de 1778; 629 en 1789, fueron altavoces eficaces de las ideas que la Ilustración difundía mediante diarios, libros y pasquines. Al *Espíritu de las leyes* del barón de Montesquieu, publicado en 1748, se ha podido leer que la autoridad y el poder no han de ser ejercidos nunca de forma absoluta como hasta entonces. Que es indispensable para el buen gobierno de la sociedad, la separación de los tres poderes del Estado: legislativo, ejecutivo y judicial. Solo de esta forma se asegura que los tres poderes se controlen y equilibren entre sí, evitando "abusos" que se producen necesariamente cuando todo el poder recae en una persona.

A esta obra había que añadir el *Contrato Social* de J.J. Rousseau. Su tesis fundamental consistía en hacer descansar la soberanía o facultad de legislar en el concepto de voluntad general. A las tesis de Montesquieu (buen conocedor de la obra del inglés Locke (*Tratado sobre el gobierno civil*, Londres, 1689) y las de Rousseau se sumarían las sátiras de Voltaire, encerrado en la abadía de Ferney, venerado por unos y odiado por otros, la tarea divulgativa de la *Enciclopedia*, así como la última de las obras *¿Qué es el Tercer Estado?* del abate Sieyès que tenía una resonancia especial, junto a panfletos de toda índole.

Se ha escrito una gran cantidad de obras para desmontar las conexiones entre la masonería y la Revolución como para probar lo contrario. Los primeros en "mojarse" en 1798 y 1799 fueron el *abbé* Barruel y un escritor escocés llamado John Robinson, los cuales afirmaban que toda la Revolución la proyectaron y dirigieron secretamente los francmasones. A ella se añadió pronto la teoría de que la verdadera "mano oculta" fue la de los iluminados que habían trasladado su sede secreta de Baviera a Francia. Si así fue, mucho se apartaron de las ideas de su fundador que esperaba que la monarquía "desapareciera sin violencia" como consecuencia del invisible influjo de la moralidad.

Se ha desechado la idea de la conspiración de las logias de las que solo participaron veintisiete "verdaderos iniciados" en tanto que todos los demás participantes se lanzaron a ella engañados.

Que la francmasonería fue una de las fuerzas que contribuyó a la caída del antiguo régimen ha sido apoyada con orgullo por muchos francmasones franceses. Lo cierto es que al igual que sucedió con la revolución de las colonias inglesas de Norteamérica, más que como organismo, hubo francmasones (en este caso más) que individualmente desempeñaron papeles importantes en ella: Mirabeau, Camille Desmoulins, La Fayette, Marat, Danton, el Dr. Guillotin, masones de otros países como Goethe o Lessing, el gran maestro del Gran Oriente francés Felipe de Orleans, primo de Luis XVI que votó su muerte y después como "Felipe Igualdad" sufriría la misma pena (sería el padre del rey Luis Felipe de Orleans, también iniciado que reinaría entre 1830 y 1848).

Con el golpe de estado jacobino de 1793 se declaró ilegal la masonería y se disolvieron todas las logias. Esto parece indicar que los jacobinos identificaban a los masones con los moderados a quienes tenían como enemigos o por lo menos que consideraban las logias como posibles escondites de conspiradores. Sin embargo, a Marat, Danton y Robespierre se les ha señalado como masones (entre otros) cosa que complica más las cosas, aunque cabe la posibilidad de que cuando alcanzaran el poder se hubieran apartado de ella e incluso vuelto contra ella (solo les hubiera servido para sus fines). Sin embargo, el papel nada despreciable de muchos francmasones como elementos de erosión del antiguo régimen había quedado manifiesto. En 1786 realizarían un último y desesperado intento fallido por Gracchus Babeuf, la "Conspiración de los Iguales", para conseguir que Francia tomase el camino de la revolución pura. Napoleón dará fin a sus aspiraciones en 1799, aunque aprovechándose de ella (cuatro hermanos, como su padre, lo fueron y no hay pruebas concluyentes de que él se iniciara en Malta en una logia militar).

Sea como fuere, una masonería reconstruida tendría lugar a partir del Directorio (1795). Con restablecimiento de la concordia fraternal y la forma de un tratado de unión perpetua, todas las logias se integraron en el Gran Oriente de Francia (1799). En 1800, la unión contaba ya con 74 sociedades y en 1802 con 114. Los francmasones habían sacado la aleccionadora conclusión de que lo conveniente para su seguridad era mostrarse fieles a quienes ostentaban el poder; el Gran Oriente dio la bienvenida a los Borbones en 1814, a Napoleón durante los Cien Días y una vez más, al rey, después de Waterloo (1815).

Capítulo IV
La masonería española en el siglo XVIII
Las cortes de Cádiz (1812)

No es cierto, como se ha dicho y respetado, que el rey Carlos III (1759-1788) preconizador de la doctrina del Despotismo Ilustrado en España simpatizara con la masonería por mucho que se rodeara de colaboradores que supuestamente lo fueran como Esquilache, Wall, Campomanes, Olavide, el duque de Alba y singularmente el conde de Aranda, entre otros. Carlos III fue el monarca europeo de su época que más se distinguió por su persecución contra la masonería y del que más correspondencia se conserva dedicada a combatirla.

Carlos III

Ya en 1751 la prohibió siendo rey de Nápoles, y como rey de España escribió: "ese gravísimo negocio o perniciosa secta prohibida para el bien de Nuestra Santa Religión y del Estado". Al referirse a los francmasones, muestra especial preocupación "por su dependencia extranjera", ya que semejantes reuniones resultaban en extremo perniciosas "y más esta que se obliga con un juramento a obedecer a otro muy distinto del soberano que Dios le ha dado, y a ayudarse recíprocamente con el más inviolable secreto".

Sin embargo, cierta literatura del siglo XIX, e incluso mucho más tardía, nos ha querido dar una imagen de Carlos III, amigo y protector de los masones[24].

El personaje que más se identificó con la asociación según esa imagen fue el aragonés Pedro de Abarca de Bolea, conde de Aranda. Los autores no se ponen de acuerdo sobre algo tan importante como cuando fue iniciado. Para unos ocurrió en París, otros afirman que Aranda "estaba afiliado desde joven a la logia Matritense", mientras otra hipótesis sitúa la misma cuando estuvo de embajador cerca de la Corte de Federico Augusto de Rusia, pero ninguno de ellos aporta pruebas a su hipótesis. Se ha escrito también que "dentro de las tradiciones masónicas españolas, la más polémica fue la creación del Gran Oriente de España por el conde de Aranda, su fundador". La afirmación se inició a fines del siglo XIX cien años después de la pretendida fundación.

Si se repasan las biografías y repertorios biográficos de la época, así como historias, memorias, etc., no hay rastro de esa aseveración. Hay que llegar a 1870 para que se comience a hablar sobre la posible vinculación de Aranda con

24   Véase Ferrer Benimeli, José: *La masonería española en el siglo XVIII*. Madrid, Siglo XXI, 1974 y el Vol. III de su *Masonería, Iglesia e Ilustración*. Madrid, Fundación Universitaria Española, 1977.

la asociación. Benito Pérez Galdós en su Episodio Nacional *Napoleón en Chamartín* (1874) lo niega, así como que lo fueran el propio Carlos III, Campomanes, etc., aduciendo que ello es producto de la búsqueda por los propios masones de personajes históricos de relieve, "para echar mano del mismo padre Adán, si le cogen descuidado", escribe. Era un momento de escisiones profundas dentro de la masonería ibérica que se intentaron paliar con nombramientos de personalidades de relieve como la de Manuel Ruiz Zorrilla, gran maestro que renunció en 1874, Práxedes Mateo Sagasta, jefe de Gobierno (nombrado gran maestro en 1876) y otros exministros.

Se trata de un periodo en el que la política está íntimamente ligada con la masonería y en el que se "fabrica" una historia masónica manipulada en aras de su prestigio. Es entonces cuando se otorga al conde de Aranda la condición de gran Maestro.

Conde de Aranda

La "cuestión romana" se hallaba en el candelero con la desaparición de los Estados de la Iglesia (1871) y el anticlericalismo pisaba fuerte (Iª República, 1873) pero por ende también el clericalismo se oponía a él, tachando a los fundadores de la masonería de anticlericales, volterianos y provocadores de la expulsión de los jesuitas como promotores del motín de Esquilache. La tradición masónica se refiere al conde de Aranda iniciado en la logia Matritense fundada en 1728 por el duque de Wharton. Se cita el año 1757 para ello y otros hablan de la llegada del Conde de Aranda desde París en donde se había iniciado y que su Gran Oriente le otorgó plenos poderes para organizar la orden de España (1760) ¡pero en 1860 Aranda estaba de embajador en Polonia!

Motín de Esquilache

Por otra parte, los Grandes Orientes no nacieron hasta 1773 cuando el duque de Chartres fue nombrado gran maestro de la masonería francesa, que dejó de llamarse Gran Logia Nacional de Francia. Noticias recogidas por los propios masones ponían en duda al conde de Aranda como fundador del Oriente Nacional en España.

¿Cómo es posible que Aranda se iniciara en París en 1760 y coincidiera con los revolucionarios si la Revolución no se inició hasta 1789 y Aranda en calidad de embajador plenipotenciario estuvo en París entre 1773 y 1785? Las inexactitudes de los historiadores continuaron incluso cuando se afirma que en 1767, el fundador de su Gran Logia se independizó de la obediencia inglesa cuando hay autores que mencionan que el Conde constituyó la "Primera Gran Logia de Inglaterra en España".

La expulsión de los jesuitas

Masones y anti masones dedujeron la fecha de 1767, expulsión de los jesuitas en la que interviniera Aranda, como uno de los títulos más que suficientes para su jefatura de las logias. Sin embargo, al parecer se limitó solo a poner en práctica algo que ya estaba aprobado y contra lo que no estaba de acuerdo.

Un año más tarde, la logia la Matritense (llamada también *Tres Flores de Lys*) única logia española además de las de Gibraltar y Menorca en manos inglesas, fue borrada de la lista de la Gran Logia de Inglaterra porque no daba señales de vida.

Los que achacan la fundación de la Gran Logia Nacional Española a Aranda, siendo su primer gran maestre, continúan siendo numerosos como los que atribuyen al conde aragonés la creación del Primer Gran Oriente de España en 1780. Sin embargo, no se ponen de acuerdo ni en las fechas, ni en el grado de independencia obtenido, sea como fuere, la orientación de las logias siguió siendo inglesa.

Tampoco se ponen de acuerdo sobre hasta cuándo continuó Aranda como gran maestro, pues aunque afirman que fue hasta su muerte, unos los hacen en 1798 (que es lo cierto) otro en 1799 y otros en 1796, mientras hay quien afirma que en 1789 lo sustituyó el conde de Montgó, Félix Palafox (el título correspondía a su mujer, por lo que no hubo conde de Montejo hasta 1808, fecha del fallecimiento de la condesa).

En conclusión, no existen pruebas serias de que el Oriente Nacional pueda remontarse a los tiempos de Aranda, ni cuándo fue su vinculación, ni mucho menos a la logia Matritense e incluso todavía está por probarse que perteneciera a dicha organización, aunque la historiografía tradicional, lo repita una y otra vez.

La expulsión de los jesuitas se venía gestando desde el asunto de las reducciones del Paraguay, misiones regentadas por ellos, y el apoyo dado por Inglaterra a Portugal, que había creado junto a la desembocadura del Río de la Plata la colonia de Sacramento. Inglaterra se salió con la suya y las reducciones fueron suprimidas. El ministro marqués de la Eusenda, partidario de ellas, como el confesor real P. Rábago jesuita, fueron exonerados de sus cargos. (Eusenda era el artífice de la reconstrucción de la marina española, cosa que le enfrentaba a los ingleses). La colaboración de la masonería en ello era evidente.

Pombal en Portugal consiguió la expulsión de su imperio en 1759, acusando a los jesuitas del atentado sufrido por José I, con el supuesto de crear en América un "imperio jesuítico". En Francia, Choiseul hizo lo propio en 1764, acusándolos de atentar contra la vida de Luis XV.

En España el pretexto fue el apoyo popular prestado en el motín contra el ministro italiano Esquilache, que Carlos

III había traído de Nápoles. El "factotem" de ello fue el secretario de Gracia y Justicia Manuel de Roda (equivalente a ministro). En 1767 fueron expulsados. Las presiones para la disolución de la Orden (que en el siglo XIX con Pío VII se restablecerá) fueron tan grandes que en 1773 el papa Clemente XIII la decretó en 1773… Varios ministros ilustrados habían logrado su objetivo. Al conde de Aranda le tocó el ímprobo conectado. No se han encontrado pruebas de su pertenencia a la hermandad, pero el exmasón Mariano Tirado de Rojas lo hace responsable de la creación de un primer Gran Oriente español en su obra *La masonería en España* (Imprenta de Enrique Maroto y hermano, 1892, Ed. Maxtor, 2005).

EL TEMOR DE LA INQUISICIÓN

Por otra parte, no debemos olvidar que en el siglo XVIII existía una Inquisición muy poderosa y temida, y que perseguía a la masonería en España, ya desde el año 1738. En 1751 el rey Fernando VI la habían igualmente prohibido y condenado severamente y su sucesor Carlos III había hecho otro tanto, primero siendo rey de Nápoles y después al venir a España continuó siendo una de sus preocupaciones. La Inquisición recordaba cada Semana Santa por decreto la prohibición. Los procesos, denuncias, condenas y abjuración de los pocos masones extranjeros que se atrevían a viajar por España y las Indias, documentación conservada en los archivos del Santo Oficio, hace difícil pensar que en el siglo XVIII, existiera una masonería organizada en el país y mucho menos, conjeturar que el primer colaborador del rey y primer magistrado lo fuera, y que, además, fuera el fundador de la Gran Logia.

LAS CORTES DE CÁDIZ

Igualmente se generó la idea de en las cortes de Cádiz que se reunieron en 1812, en la preparación y discusión de la primera Constitución mientras el cañón tronaba contra el Ejército Napoleónico, hubo un gran influjo de las logias masónicas, sobre todo, por parte de los liberales, cosa que en realidad no fue así, como escribe el Conde de Toreno, contemporáneo de los sucesos, pues si hubo masones fueron más bien afrancesados o partidarios del intruso rey José Bonaparte, que también lo era. Fue Napoleón el que con éxito había tenido con profusión, las logias a España, fundándose durante la guerra, las de San Sebastián (1809). Victoria, Zaragoza, Barcelona, Gerona, Figueras, Talavera de la Reina, Santoria, Santander, Salamanca, Sevilla y Madrid.

La Gran Logia Nacional se estableció en octubre de 1809 en los locales de la Inquisición.

Aunque la masonería se presentaba esgrimiendo la bandera de la libertad y a la que al parecer se unieron un número indeterminado del clero, la verdad es que se trataba de una sociedad secreta mediatizada por el Gran Corso, hasta el punto que una de e las logias se denominó Beneficencia de Josefina y las palinodias a Napoleón y a "Pepe Botella", aunque escasas, se sucedieron, muchas de ellas hipócritas, escritas por las circunstancias.

Una prueba de la actitud antimasónica y antifrancesa de las cortes de Cádiz se encuentra en la Real Cédula fechada el 18 de enero en la misma ciudad en la que se confirmaba el Real Decreto de 2 de julio de 1751 por la que se volvió a prohibir la francmasonería en los dominios españoles de los indios e Islas Filipinas.

En dicha Real Cédula, expedida mientras el rey Fernando VII se encontraba conativo en Valencay, es el Consejo de Regencia autorizado interinamente por las cortes generales y extraordinarias reunidas en Cádiz, que lleva la iniciativa de atajar "uno de los más grandes males que afligían a la iglesia y los Estados, a saber la propagación de la secta masónica tan repetidas veces proscrita por los Sumos Pontífices y por los Soberanos Católicos de toda Europa". Y precisamente, para evitar su propagación, las cortes de Cádiz decretan una serie de normas tajantes en nombre de Fernando VII.

En agosto de 1812, Madrid fue liberado y José I tuvo que huir desapareciendo los masones de suelo español. Sin embargo, su regreso sin éxito sería provocado por la intransigencia de "El deseado" y del pronto olvido por parte de los españoles que se habían partido el pecho en los campos de batalla.

Regresaría con sus miembros ávidos de conspirar, cualidad que ya no abandonarían.

Capítulo V
La masonería contribuyó a la emancipación de la América Hispana

La masonería jugó un papel de primer orden a través de sus líderes en la emancipación de la América Hispana y entre las logias importantes se encuentra en lugar destacado la de Lautaro fundada en 1812 en Buenos Aires por el general San Martín y otros políticos sudamericanos que ya habían sido iniciados en Europa. El nombre lo tomó de un indio de los primeros tiempos de la conquista que se había enfrentado a los españoles en Chile (junto con Caupolicán) y había sido derrotado, y aunque Ferrer Benimeli niega su carácter masónico como el de la afiliación de San Martín, en este caso, los documentos no son escasos[25].

Caupolicán

25   Vidal César. *Los masones.* óp. cita, pág. 119.

Lo que es más dudoso es que esta proceda a su vez de una supuesta logia de Francisco de Miranda, el denominado "Precursor de la emancipación", fundada en Londres con el título de Gran Reunión Americana, que quizás solo fue un conciliábulo de americanos enemigos de la independencia. Tampoco está claro si la logia Lautaro era filial de la masonería universal; por lo menos estaba sometida a una disciplina férrea, muy análoga a sus procedimientos y secretos. El nombre completo que recibió fue Logia de Lautaro y de caballeros de América[26] y su finalidad era "iniciar a los patriotas americanos a la nueva luz", esto es, en la independencia, a la que se consagran mediante juramentos. Formaron también parte de ella Belgrano, Rivadavia, Posadas, Yrigoyen, Álvarez Thomas, Passo, Sarratea, Martín Rodríguez, Larrea, Dr. Balcarce y mucho más.

Con objeto de facilitar la lucha contra los españoles de América, tenían agentes en Cádiz, entre ellos, a los comerciantes argentinos Lezica y Arguibel que repartían dinero y proclamas entre la oficialidad e incluso, la población y hacían cuanto podían para impedir el embarco de tropas destinadas a combatir la independencia americana.

Las constituciones de la logia de Lautaro constituyen uno de los sueños de la masonería, el de provocar el cambio político a impulsos de una minoría iluminada destinada a regir la sociedad. San Martín como buen masón, estaba obsesionado por el simbolismo del sol que incluyó en la bandera argentina.

26   Gandía, Enrique. *San Martín, su pensamiento político*. Buenos Aires, 1964.

Céspedes, G. *La independencia de Iberoamérica*. Biblioteca Iberoamericana, Anaya, Madrid, 1998.

Halperin Donghi, T., *Historia de América Latina*. Alianza Editorial, Madrid, 1988.

José de San Martín

Otras figuras iniciadas importantes en el movimiento emancipador, fueron Bernardo O´Higgins de Chile, Simón Bolívar, instrumento esencial de la emancipación de Colombia, Venezuela y Panamá, el almirante irlandés William Brown... Pedro I de Brasil...

Las cortes de Cádiz de 1812 representaron un punto de inflexión en la marcha del proceso emancipador que se había iniciado con rotundos fracasos en México en 1810 por los curas Hidalgo y Morelos, y que había dejado un reguero de sangre y de crueldad. La masonería se había introducido a ella, pero por una acusación tuvo una vida efímera. Hidalgo fue a parar en la cárcel.

Ya en libertad, un agente francés de Napoleón conectó con él e inició lo que será abortada rebelión. Napoleón se valió de la masonería para impulsar su política de dominio.

El testigo fue recogido por otro sacerdote, José Mª Morelos de origen mestizo. Defendía la independencia para establecer un sistema parlamentario, la abolición de la esclavitud y de los impedimentos para la promoción de las clases más bajas. En 1813 proclamó la independencia de México en el Congreso de Chilpancingo y poco después, aprobó la Constitución de Apatzingán, inspirada en la jacobina de 1793. En 1816, el proceso emancipador parecía detenido. Los realistas controlaban toda la América española con la excepción de Buenos Aires. Sin embargo, estaba a punto de empezar el periodo definitivo que llevaría a los "patriotas" a la anhelada independencia. Simón Bolívar desde el norte y José de San Martín por el sur, la harían factible[27].

Fernando VII preparaba en 1819 una fuerte contraofensiva realista con tropas acantonadas en Andalucía. La coordinación de las diversas logias entre la metrópoli y las colonias junto con la influencia de los conspiradores liberales de las élites ilustradas americanas, produjeron en 1820 la revuelta del general Riego, declarado masón, en Cabezas de San Juan (Cádiz) impidiendo que la flota española partiera con refuerzos hacia el continente americano. La acción coordinada de los masones de ambos continentes había revelado una información puntual de los movimientos de las tropas españolas, el número de efectivos, armamento, etc. El Trienio Liberal (1820-1823) ayudó en este empeño.

México daría el paso definitivo hacia la independencia con Agustín de Iturbide que había combatido a Morelos. Tanto él como el virrey Apodaca, eran iniciados, Iturbide se reunió con el guerrillero Vicente Guerrero y acordaron el

27   Vidal, César. *Los masones*. óp. cit. pág. 115 y 116. En un principio Hidalgo defendió los derechos de Fernando VII, reducido en Valencay.

Plan de Iguala (1821), conciliador entre las partes en litigio, aprovechándose además del gobierno de los liberales en España. El virrey no tuvo más remedio que condenar un plan que animaba a la emancipación y los diputados mexicanos presionaron para que fuera sustituido por O'Donojú.

El nuevo Virrey dio un gran impulso a la masonería. Muchas de las personas que habían viajado con él desde España, nutrieron las logias existentes y constituyeron otras, la más importante fue El Sol que llevaba el nombre de un periódico.

Todos defendían el Plan de Iguala, el auge de la masonería en México era un hecho. O'Donojú fue obligado a dimitir e Iturbide fue proclamado presidente de la Regencia del Imperio Mexicano (1821) y finalmente Emperador, aunque poco le duró el mandato. Una rebelión encabezada por los generales Guadalupe Victoria y López de Santa Anna, lo depusieron y fusilaron. En 1824 México se constituyó en república federal.

El último baluarte de los derechos de la metrópoli fue el Virreinato del Perú, cuyo virrey Abascal, tras la defensiva de Bolívar y San Martín, tuvo que capitular en Ayacucho (1824).

La permeabilidad hacia la masonería ayudada por las ideas liberales obedeció a una coyuntura de conveniencia por las clases criollas tolerantes (nacidos en América), que las utilizaron para sus fines, la obtención de una mayor autonomía (y finalmente, la independencia) y la defensa de sus privilegios. Las ideas liberales se extendieron y la burguesía criolla, así como la minoría aristocrática, resultaron las beneficiadas.

De España partieron hacia América figuras destacadas de logias masónicas como el mallorquín Juan Mariano Picornell, que dirigió la conspiración de San Blas contra la monarquía española en 1795. Preso en la Guayana se escapó a las Antillas en donde parece que dio a luz una nueva versión en castellano, como ya había hecho en 1793 el bogotano Antonio Nariño de la *Declaración de los Derechos del Hombre y del Ciudadano*, Picornell colaboró activamente en la fundación de numerosas logias que fueron importantes para la preparación de los distintos levantamientos contra la metrópoli. En 1811, tomó parte en la revolución independentista bolivariana de Caracas y más tarde pasó a los EE. UU. y a México. Indultado por Fernando VII en 1815, desde 1820 hasta su muerte en 1825 ejerció la medicina en Cuba.

También lo fueron el conde de Tilly, héroe de Bailén, o el general Ballesteros que terminaron inclinándose por la emancipación. Incluso se presentó a Espartero y Maroto (los llamados "ayacuchos" en los que estaba también el general Narváez) como responsables de la derrota, y, naturalmente, iniciados en la logia de Lima. Fueron igualmente incluidos en la hermandad del virrey Iturrigaray, tachando de ladrón, inepto y traidor, así como a los ya citados Iturbide, O'Donojú, Hidalgo de Cisneros, que a pesar de ello, terminó siendo nombrado Capitán General del departamento de Cádiz y ministro de Marina en 1818. Al estallar la sublevación de Riego fue preso por los insurrectos y encerrado en La Carraca (Cádiz), hasta el triunfo del movimiento liberal, después fue nombrado consejero de Estado y enviado al cuartel de Cartagena; caído el régimen liberal, volvió a ser capitán general de Cartagena, en donde falleció en 1829 ejerciendo este cargo[28].

28   Para consultar los hechos históricos de la emancipación de Hispanoamérica Véase Tuñón de Lara, *Historia de España*. Tomo VI, Ed. Labor, 1983, Barcelona. Lynch, John. *Las revoluciones hispanoamericanas* (1808-1826). Barcelona, Ariel, 1976. De Blas, Patricio y otros. *Historia Común de Iberoamérica*. Edaf, Madrid, México, Buenos Aires, 2000.

Dentro de esta larga lista, hay que recordar como vinculados a la masonería, a los generales Rafael de Riego y Evaristo de San Miguel, hasta el punto de considerar como pertenecientes a alguna logia a todo el estamento de oficiales militares. Muchos historiadores han argumentado que la masonería o buena parte de ella, fue decisiva en el proceso emancipador gracias a los propios oficiales y tropas expedicionarias, y hasta el propio Menéndez Pelayo concluyó que las logias masónicas habían sido las protagonistas de aquel proceso. Sin embargo, hubo más causas y circunstancias. Que la masonería influyó está fuera de duda y en algunos casos fue decisiva, pero no fue única.

Para César Vidal[29], admitiendo la importante participación de la masonería en la independencia de Hispanoamérica, no es su evidente triunfo, ni tampoco la posterior conquista del poder político, lo destacable es la más trágica y probada incapacidad para crear un orden estable, hecho que no sucedió en los Estados Unidos, ¿debido al carácter individualista español y sus descendientes? ¿Por qué no cuajó la unidad como pretendía Simón Bolívar? ¿Por qué desde la emancipación, la historia de Iberoamérica fue una constante lucha entre unitarios y federalistas? ¿Por qué la fragmentación nacional estuvo a la orden del día?

El proyecto masónico se configuraba alrededor de una élite secreta, cuyo objetivo era desplazar a los que hasta entonces habían ostentado el poder, y, a continuación, apoderarse de las riendas del Estado, colocando a los cargos de responsabilidad a individuos fieles a la sociedad.

La opinión política tenía por ello que ser moldeada o manipulada para que arrimara el hombro a un gobierno

29   Vidal, César. *Los masones.* óp. cit. 122.

formado por miembros adictos a esa sociedad secreta ignorada por la mayoría. Sus miembros habían de mantenerse prudentes en sus declaraciones públicas con el fin de no empañar su imagen ni poner palos a las ruedas de la gobernabilidad, ejercida sobre el pueblo. El resultado, diferente al de los EE. UU., fue una cadena de regímenes que fueron de la dictadura a la oligarquía, además del "pucherazo" electoral (generalizado en España) y cuyas consecuencias negativas se prolongan hasta la actualidad.

En la América del Norte el puritanismo con la mentalidad puesta en la perversión del ser humano, consolidó la separación de poderes para evitar la dictadura. Latinoamérica, como la Francia revolucionaria, se movió por premisas diferentes, todo ello en teoría, y predicando en las logias.

Sin embargo, en la práctica, el proceso solo beneficiaba a una minoría corrupta que tenía la misión de instruir, cosa muy difícil, porque era analfabeta, de los principios teóricos predicados por aquellos. Se estaban gestando los Estados autoritarios del siglo XX. Como una premonición, Simón Bolívar en 1828 promulgó un decreto en el que se proscribían "todas las sociedades o confraternidades secretas, sea cual fuere la denominación de cada una... Habiendo acreditado la experiencia tanto en Colombia como en otras naciones, que las sociedades secretas sirven especialmente para preparar los trastornos políticos, turbando la tranquilidad pública y el orden establecido; que resaltando las operaciones con el velo del misterio, hacen presumir, fundamentalmente, que no son buenas, ni útiles a la sociedad, y que por lo mismo excitan sospechas y alarmas a todos aquellos que ignoran los objetos de que se ocupan".[30]

30   Citado por César Vidal. *Los masones.* óp. cit., pág. 123.

Y Bolívar, sabía bien lo que decía... Hechos que se repetirían en 1898.

Simón Bolívar

Capítulo VI
La masonería europea en el siglo XIX

Al regresar definitivamente al trono de Francia, Luis XVIII (1815) nombró a Élie Decazes, iniciado, jefe de policía y después ministro del Interior, tomando así las riendas del poder del país. Tranquilizó a los prefectos de policía con una circular en la que les decía que el rey no consideraba a la masonería peligrosa.

No sabemos si Luis XVIII pertenecía a ella, pero si su hermano, el conde de Artois, circunstancia que de poco le sirvió porque como sucesor de Luis XVIII, fallecido en 1824, su reinado fue tan despótico que los propios masones contribuyeron a su caída en 1830, siendo aclamado como "héroe de la libertad", aunque no pretendían seguir el camino de la revolución pura como intentarían los de la Sociedad de Irlandeses Unidos que se rebelaron contra el gobierno inglés en 1798, el movimiento helénico, consagrado a la libertad de Grecia del Imperio otomano y la revolución de los *decembristas* del 1825 contra el Zar Alejandro I. La cosmovisión masónica francesa quedó plenamente satisfecha cuando se nombró rey a Luis Felipe de Orleans, otro iniciado, hijo de Felipe Igualdad que gobernaría junto con una camarilla selecta.

Los escritos contrarrevolucionarios antimasónicos proliferaron llenos de inexactitudes y exageraciones, como los del autor francés Lefranc, asesinado durante el terror, y la del abate Barruel, que influiría en los escritos de John Robinson, profesor en Edimburgo.

Todo ello espoleó a los propios masones para escribir los suyos exagerados y partidistas, si bien concluían en algo innegable: los masones habían jugado un papel de primer orden en los hechos revolucionarios.

Ante la convulsa situación de Irlanda en franca rebeldía, el Parlamento dictó dos leyes coercitivas en 1797 contra los masones, sus juramentos y su secretismo, aunque finalmente no se aplicaron, porque el príncipe de Gales era gran maestro y presionó para ello al primer ministro William P.H. En Nápoles a fines del siglo XVIII, se intentó un golpe contra la monarquía en el que participaron los masones, la represión subsiguiente impidió tal objetivo.

La revuelta Decembrista rusa de 1825 vino precedida de una serie de movimientos subversivos tras la marcha de Napoleón del país en 1812. En 1819, Alejandro I tuvo noticia de la creación de una logia nutrida únicamente por polacos siempre dispuestos a la subversión. Dos años más tarde, un informe resumía la situación de la masonería en el gran país, argumentando que aunque en general, parecía la mayoría pacífica, siempre estaban a punta las logias para gestar planes peligrosos para la seguridad del Estado a semejanza de los napolitanos.

El 1º de agosto de 1822, Alejandro I dio un *ukase* por el que prohibía la asociación en Rusia y poco después, hacía lo propio en la parte polonesa sometida al zar. Entonces aconteció la rebelión de los Decembristas (1825) en la que se reveló que los masones tenían un papel importante en las conspiraciones contra el Zar y que para ello utilizaban el procedimiento similar al realizado en España e Hispanoamérica. A causa de ello, el nuevo zar Nicolás I, redobló las medidas para la aplicación de los decretos. Instalado en el trono de Francia un monarca masón tras la revolución de 1830, los masones gozaron de gran predicamento en el gobierno hasta el punto de que el primer ministro de Luis Felipe, Guízar, también lo era. Fue un reinado gris en el que se pasó de la opulencia a la crisis (agrícola, industrial, de la bolsa y social) virando hacia el autoritarismo.

Entonces se puso de moda la organización de banquetes masónicos que ya habían tenido lugar antes de la revolución de 1830. En ellos se criticaba la política para ellos reaccionaria del gobierno y se solicitaba un cambio inmediato. Las masas de París se lanzaron a la calle y el 24 de febrero de 1848, la nueva revolución se puso en marcha.

Al igual que en 1830, la revolución repercutió en Italia, Austria, Bohemia, Hungría y Prusia con carácter democrático y nacionalista, y por eso se llamó "la primavera de los pueblos". De forma harto significativa, pudo ser sofocada en los lugares en que el peso de la masonería no era fuerte. No así en Francia.

Luis Felipe abdicó y se exilió en Inglaterra. Fue proclamada la Segunda República a la que el Gran Oriente se adhirió. El gobierno provisional del escritor Lamartine cayó presionado por el socialista y masón Louis Blanc, y el general Cavaignac se transformó en el nuevo hombre fuerte, iniciado, y el Gran Oriente le transmitió su apoyo.

En las elecciones del 10 de noviembre de 1848, triunfó Luis Napoleón, hijo de Luis Bonaparte, que había sido rey de Holanda con Napoleón I. El 2 de diciembre de 1851 dio un golpe de Estado y se convirtió en dictador disfrazado de Imperio. El Gran Oriente le había apoyado en todo, en especial en la instauración del nuevo orden que duraría hasta 1870.

La represión fue un hecho dirigido por un masón, el conde del Persiguy Juan Fiolin y el nuevo gran maestro, Napoleón, aplaudió la proclamación del II Imperio en la persona de Napoleón III. Entonces se dedicó a ayudar al rey de Cerdeña-Piamonte Víctor Manuel en su pretensión de logias, la deseada unidad italiana, claro adversario de la Iglesia católica y del sumo pontífice, fue ayudado por una sociedad secreta afín a la masonería: la de los carbonarios.

Giuseppe Garibaldi

Sus logias no eran idénticas a las masónicas, pero eran muchos los miembros de las unas que pertenecían a las otras; es casi seguro que la mayoría de los francmasones eran carbonarios y que casi todos los personajes importantes como Garibaldi, eran masones. También pudo apreciarse una semejanza ideológica en la cláusula de los estatutos de los carbonarios que estimulaba la libertad de conciencia, pero exigía la adoración de un Ser Supremo. Tanto esta sociedad como la francmasonería quedaron prohibidas en toda Italia con la excepción del Piamonte, base de operaciones en la campaña a favor de la unidad nacional. Las logias no volvieron a reunirse abiertamente hasta la unificación del país y entonces Garibaldi pasó a ser su gran maestro.

El enfrentamiento con el Vaticano

La alianza con los carbonarios provocó el enfrentamiento abierto de los francmasones italianos con el Vaticano. Mientras el país estuvo dividido en pequeños estados gobernados por el absolutismo, sin derechos democráticos, la mayor parte de la Italia central, tenían como soberano temporal al sumo pontífice. Los papas de esta época, para conservar sus territorios, se opusieron a la unidad nacional y se aliaron con los reyes y grandes duques vecinos.

Los carbonarios y los masones eran partidarios de que la bandera de Italia secular ondease en todo el país y que el Papa había de contentarse con su imperio espiritual. Incluso afirman tajantemente que en una Italia unida, la autoridad de la Iglesia quedaría mermada y que se privaría al clero de la facultad de decir lo que debían leer y creer.

El gran maestro Lemini manifestó:

"Hemos sido el escoplo contra el último refugio de la superstición y el Vaticano caerá bajo los golpes del mazo vivificador". Los masones, afirmaba, "debían trabajar para esparcir las piedras del Vaticano con el objeto de usarlas para edificar el Templo de la Nación Emancipadora".

El Vaticano contraatacó: Entre 1821 y 1909, los papas publicaron diez enciclopedias contra la masonería desde la prohibición decretada por Clemente XII en 1738. Aunque la causa real de la hostilidad únicamente se desarrollaba en Italia y era en parte política, la prohibición fue obligatoria para los católicos de todos los países.

Los francmasones aplaudieron la abdicación de Napoleón III en 1870. Al año siguiente, el nuevo gobierno republicano de carácter conservador, chocó abiertamente con la Comuna de París dirigida por los socialistas. En la francmasonería habían arraigado las ideas socialistas: Louis Blanc, promotor de la República social en 1848 y Pierre Joseph Proudhon, las dos figuras relevantes del socialismo francés, eran masones. Las logias parisienses intentaron hacer de mediadores entre el gobierno y la comuna, pero aquél endureció su postura.

Los masones decidieron unirse a la comuna si eran tiroteados. Varios millares de ellos marcharon por los Campos Elíseos jaleados por el pueblo. Iban alegremente adornados con cintas simbólicas de colores, llevando triángulos y soles y paletas doradas y plateadas. Las balas alcanzaron sus banderas e hirieron a un masón. Entonces las logias decidieron alzarse en armas a favor de la Comuna.

A pesar de este episodio y de la durísima represión que terminó con la Comuna, la francmasonería alcanza un gran auge en la Tercera República. El antagonismo entre el Estado y la Iglesia continuó. Los francmasones apoyaban a los gobiernos que imponían restricciones a las órdenes religiosas y rehusaban ayuda económica a las escuelas clericales. Mientras asistía a los oficios religiosos sería de promoción en el Ejército, las ideas anticlericales hacían lo propio en las universidades y cargos burocráticos. A favor de la tendencia clerical, se unió el antisemitismo.

MASONERÍA ANGLOSAJONA Y LATINA

A pesar de los esfuerzos por lograr la unidad, no pudo llevarse a cabo, las masonerías continuaron independientes unas de otras, ofreciendo dentro de cada una, una gran variedad de ritos. Sin embargo, a grandes rasgos existe una masonería anglosajona y otra latina.

Entre la primera se podía considerar la inglesa, la americana, la alemana, y la escandinava (danesa, noruega) holandesa, filipina, la Gran Logia Nacional Francesa, etc., que puede ser considerada regular por mostrarse fiel a los principios y a las reglas dictadas por sus fundadores, admitiendo como miembros a postulantes que creen en Dios y son fieles a los compromisos sobre el libro Sagrado de una religión.

En los países en donde se desenvuelve, este tipo osa de una situación oficial y cuenta con personalidades eminentes. En Dinamarca y Suecia, por ejemplo, el gran maestre es el soberano. En Inglaterra siempre lo ha sido un miembro de la familia real como el príncipe Felipe de Edimburgo (que terminó rechazando). En EE. UU. dieciséis presidentes, etc.

La masonería latina, es decir, la de los países latinos, en especial la francesa e italiana a lo largo del siglo XIX, debido a las incidencias político-religiosas que ya afectaron a estos países, sufrió ciertas variaciones ideológicas.

Todavía en 1849, el Gran Oriente francés otorgaba una constitución en la que se declaraba que la francmasonería era una institución fundamentalmente filantrópica, filosófica y progresista, que se basaba en la creencia en Dios y la inmortalidad del alma. Pero durante el imperio de Napoleón III, la masonería francesa, influida por los elementos antirromanos del emperador, organizó un fuerte programa anticlerical que paulatinamente se transformó en un auténtico furor antirreligioso que se fortaleció en especial en las logias que entraban en las órbitas de los países latinos (tanto europeos como iberoamericanos) hasta el punto de borrarse en algunos la antigua invocación "a la gloria del Gran Arquitecto del Universo".

En 1877 en Francia, el Gran Oriente suprimió la obligación de los estatutos de la creencia en Dios, de obligado cumplimiento hasta entonces para todo buen masón, así como la creencia en la inmortalidad del alma y la toma del juramento sobre la Biblia, hecho que provocó una gran protesta, en especial en Inglaterra y EE. UU., hasta el punto de romper junto a otros países, toda relación con el Gran Oriente Francés.

En 1885 el Gran Oriente Francés intentó enmendar tal desaguisado con la revocación de la excomunión dictada por este motivo a lo que la Gran Logia de Inglaterra respondió: "La Gran Logia Inglesa sostiene y siempre ha sostenido que la creencia en Dios es la primera gran señal de toda verdadera y auténtica masonería, y fuera de esta creencia profesada como principio esencial de su existencia, ninguna asociación está en derecho de reclamar la herencia de las tradiciones y de las prácticas de la antigua y pura masonería. Su abandono suprime la piedra fundamental de todo el edificio masónico".

La intervención en la política y la sociedad de forma más violenta de la masonería en los países latinos, además de su más estricto secretismo, le concedió un marchamo de brutalidad, que la anglosajona, salvo en casos aislados, como el asesinato de William Morgan en 1826, ocurrido en los EE. UU., achacado a los masones. La anglosajona, debilitado su secretismo y con autoridades relevantes en ella, fue derivando en lo que a todas luces deseaba: una asociación filantrópica de ayuda mutua.

La masonería y la pérdida de Cuba y Filipinas (1898)

La intervención de la masonería en la independencia cubana y en la pérdida de Filipinas, últimos bastiones del Imperio español o por lo menos de sus líderes, resultó determinante.

El padre de la emancipación cubana fue José Martí (1853-1895) nacido en la Habana y de padres españoles, excelente escritor[31] y eximio poeta. Fue en Madrid en donde se inició

31   El canto del mar de José Martí (indudable influencia masónica) "Y abrí los ojos en la lancha, al canto del mar. El mar cantaba. Del cabo, salimos con nubarrón y viento fuerte, a las diez de la noche: y el timonel deja el timón a medio ir: 'Bonito eso'; 'Eso es de lo más bonito que yo haya oído en este mundo'; '"Dos veces, no más en toda mi vida he oído yo esto bonito'; Y luego se echa a reír que los *vaudous* los hechiceros haitianos, sabrán lo que eso es que hoy es día de baile *vaudou*, en el fondo de la mar y ya lo sabrán ahora los hombres de la tierra que allá abajo están haciendo los hechiceros sus encantos. La larga música, extensa y afinada es como el sol unido de una tumultuosa orquesta de campanas de platino. Vibra igual y seguro el eco resonante. Como en ropa de música se siente envuelto el cuerpo. Cantó el mar una hora —más de una hora—. La lancha piafa y se hunde, rumbo a Montecristi" (Un ansia de libertad envuelve sus *Diarios de Montecristi a Cabo Haitiano*).

en la Logia Armonía entre 1871 y 1873. Se dio cuenta de que sin las clases populares la independencia estaba condenada al fracaso y para eso requirió el apoyo de Antonio Maceo, héroe de la guerra de los "diez años" contra España, que había concluido con la Paz del Zanjón en 1878, también lo hizo con otros iniciados: Bernardo Soto, Próspero Fernández, Genaro Rucavado, Ricardo Mora Fernández, Minor Keith, Tomás Soley Güell y el padre Francisco Calvo, entre otros.

Así mismo, recabó la ayuda de exiliados cubanos de la logia de Cayo Hueso, establecida en Estados Unidos y de la Fraternidad de Nueva York, en donde Martí había fundado el Partido Revolucionario Cubano y era tesorero Benjamín Guerra y Gonzalo de Quesada y Aróstegui, secretario. Martí designará en 1895 para iniciar el levantamiento cubano a otro masón Juan Gualberto Gómez y los firmantes del Manifiesto rebelde de Montecristi serán todos masones. Además se recabó la ayuda de los Estados Unidos que ya estaban sobre aviso y deseaban completar el principio del presidente Monroe: "América para los americanos" (que en realidad era "América para los norteamericanos"). Para la triunfante masonería norteamericana, España monárquica y católica, era un vestigio medieval incompatible con el progreso de los tiempos.

José Martí cayó en una escaramuza con las fuerzas españolas (1895). Predicó la guerra sin odio; previó los peligros del imperialismo norteamericano y formuló un ideario democrático, antirracista y anticlasista, muy acorde con los principios de la logia, basado en el equilibrio de las fuerzas sociales. Su actividad política tuvo carácter de apostolado. Como pensador, aspiró a la síntesis superadora de las antinomias filosóficas y religiosas, dentro de una perspectiva de espiritualismo liberal.

Manifiesto rebelde de Montecristi

El acto final tendría lugar en 1898, la derrota en Santiago de Cuba y en Carite, en las Filipinas, llevaron a la Paz de París, por la que Cuba consiguió la independencia y España cedió Puerto Rico y Filipinas a los Estados Unidos.

La nueva bandera de Cuba, había aparecido por primera vez en una expedición emancipadora fracasada en 1850, dirigida por Narciso López, también iniciado.

El mismo sugirió el triángulo rojo equilátero, símbolo de la grandeza del Gran Arquitecto y cuyos tres lados están dedicados a la libertad, igualdad y fraternidad. La estrella de cinco puntas, recuerda la perfección del maestro masón:

111

fuerza, belleza, sabiduría, virtud y caridad, y por último, quedaban integrados los tres números simbólicos: las tres franjas azules, recordaban el tres, la totalidad de las franjas el cinco y el resultado de sumar a las franjas el triángulo y la estrella daba siete.

En Filipinas, uno de los grandes protagonistas fue José Rizal, de origen mestizo, nacido en Manila en 1861, estudió con los jesuitas en la capital y también inició sus estudios universitarios en la universidad dominica de Santo Tomás y prosiguió su carrera de filosofía y letras y medicina en Madrid, en donde fue iniciado en la masonería en la Logia Solidaria, adoptando el nombre de la hermandad de Dimasalang, protegido por uno de sus profesores universitarios como Miguel Morayta, también iniciado.

Por aquel entonces, había aparecido la *Solidaridad*, un periódico a cargo de filipinos masones residentes en España en donde colaboraban políticos masones y estaba influido por el filósofo alemán F. Krause (1781-1832) que dio lugar al krausismo con ideas éticas y humanitarias afines a la masonería, y que tanto influirá en la Institución libre de Enseñanza española.

Rizal realizó un viaje por Europa para perfeccionar sus estudios y en Berlín publicó *Noli me tangere* (1886) que denunciaba los abusos de la administración española.

Se había puesto en contacto con otros "hermanos" como Manuel Becerra, Segismundo Moret, Francos Rodríguez y Pi i Margall, partidarios de la emancipación filipina. Prohibida la novela en su patria a causa de las críticas a la administración española mediatizada por las órdenes religiosas, tuvo que abandonar el archipiélago a donde había acudido aprovechando la tolerancia de las autoridades. Sin embargo, se le hizo la vida imposible, siendo objeto de persecución. Tras viajar por China, Japón y EE. UU., fijó su residencia en Londres; de ahí pasó a Madrid (1890) donde prosiguió sus contactos con políticos españoles como Pi i Margall. En Gante público *El filibusterismo* (1891), novela que continuaba la acción de *Noli me tangere* (No me toques, las palabras de Jesús a la Magdalena ante su resurrección) y en la que se mostraba abiertamente nacionalista. Al año siguiente, enfermo de tuberculosis, decidió regresar a las islas.

Poco antes, la adquisición de los conflictos sociales en Calamba, donde gran número de campesinos fueron desahuciados de sus viviendas por los dominicos, le movió trasladarse a King Kong, para negociar el establecimiento de la liga filipina de carácter secesionista. Sin embargo, negoció su vuelta a Filipinas comprometiéndose a no desarrollar actividades políticas.

Desgraciadamente, unas hojas anticlericales concentradas en el equipaje de su hermano, que le acompañaba, motivaron su deportación a Dapitan en Mindanao. En 1896 Hilario del Pilar y sus lugartenientes, Andrés Bonifacio y Emilio Aguinaldo, lanzaron el grito de insurrección independentista, basándose en una amalgama de principios masónicos y textos de Rizal. Habían creado la *Altísima sociedad de los hijos del pueblo* de carácter secreto que tuvo un papel decisivo en la insurrección.

Rizal había negociado su libertad con el general Blanco y como muestra de buena voluntad, se ofreció a ir a Cuba como médico de campaña.

El general Blanco, gobernador de las islas, accedió a sus peticiones, pero a causa de la rebelión, fue detenido en Barcelona de Filipinas (Isla de Patay). Enviado a Manila, se le sometió a proceso y fue condenado a muerte. Pi i Margall, solicitó el indulto, pero su petición fue rechazada por Cánovas. Rizal fue fusilado como lo sería Bonifacio. Emancipada Filipinas del gobierno español, Aguinaldo continuaría la lucha contra los norteamericanos, nuevos señores de las Islas.

Monumento al Fusilamiento de José Rizal

Durante la Segunda Guerra Mundial, tomó partido por los japoneses. Encarcelado en 1945, el gobierno filipino lo liberó y rehabilitó posteriormente. Había nacido cerca de lo que sería la famosa localidad de Carite en 1869 y fallecería en Madrid, muy anciano, en 1964.

Por su parte, la figura de Rizal será controvertida. Para unos había abjurado de sus errores como masón y se había reconciliado con la Iglesia, para los norteamericanos, fue un mártir de la guerra de independencia contra España.

En 1912, la familia de Rizal se negó a entregar el cadáver a los jesuitas para que hicieran solemnes honras fúnebres a su antiguo alumno. Sin embargo, permitieron que lo hicieran los masones de la logia, dirigida por Timoteo Páez con toda la parafernalia consiguiente para estos casos.

Capítulo VII
La masonería española en el siglo XIX

La vuelta de Fernando VII al absolutismo en 1824 propició la identificación de masonismo con liberalismo. A tal fin el 5 de agosto de dicho año, publicó una Real Cédula por la que se que se prohibía absolutamente "en los dominios de España e Indias todas las congregaciones de francmasones, comuneros y otras sociedades secretas, cualquiera que sea su denominación y objeto".

Desde entonces a todos los graduados de las universidades, y a quienes ejerciesen cualquier empleo, profesión u oficio público eclesiástico, militar, civil o político, antes de tomar posesión de sus destinos, se les obligó a una declaración jurada de no pertenecer ni haber pertenecido a ninguna logia, ni asociación secreta de cualquier denominación que fuera.

Dos meses después, el 9 de octubre, por una Real Cédula se dispuso que "los masones, comuneros y otros sectarios en adelante, deberían ser considerados como enemigos del altar y el trono, quedando sujetos a la pena de muerte y a la confiscación de bienes".

Los atropellos contra los liberales menudearon protagonizados por el gobierno absolutista y las partidas realistas "de la porra" que aterrorizaban los pueblos pregonando el exterminio de francmasones y comuneros. Existe constancia de que una turba de exaltados realistas puso en un aprieto al escritor Ventura de la Vega por haberse dejado crecer el pelo y llevar melena, crimen tenido entonces como manifiesta prueba de masonismo (y no andaban desencaminados porque al igual que Espronceda, fue miembro de la sociedad de los numantinos).

Morayta[32] refiriéndose a las consecuencias de las drásticas medidas, escribirá, que, entre otros, fueron ajusticiados en la horca los miembros de una logia de Granada que habían sido sorprendidos "in fraganti" en el rito de iniciación. Se han conservado sus nombres: Felipe Azo, venerable comandante de escuadrón; Juan Sánchez, teniente; Ramón Álvarez y Francisco Álvarez, oficiales; Francisco Merlo, alférez de caballería; Antonio López y Manuel Suárez, paisanos.

Sea o no cierta esta noticia (porque lo recoge un simpatizante y si acaso al ser militares hubieran tenido que ser fusilados) lo cierto, es que la legislación anti-masónica en tiempos de Fernando VII fue quizás la más dura y prolongada de la historia de España, solo comparable con la llevada a cabo durante el franquismo (1939-1975). Al fallecer Fernando VII en 1833, Mª Cristina como regente expidió un Real Decreto en Aranjuez el 26 de abril de 1834, concediendo una amnistía a los masones que desde entonces podían aspirar a cargos públicos, pero condenando a quienes pertenecieran a sectas secretas desde entonces. La masonería entró en un periodo de visible decadencia hasta el punto de que las logias, poco o nada fueron culpables de los conatos de subversión, y el protagonismo lo ejercieron las sociedades patrióticas.

Entre 1834 y 1840, la masonería española, al parecer, se reorganizó. El Gran Oriente Nacional se fundió con el Supremo Consejo, nombrando al infante de España Francisco de Borbón Paulo como gran comendador y gran maestre, cosa que se contradice con el decreto de la reina goberna-

---

32   Morayta, Miguel: *Masonería española*. Madrid, 1915.

dora. Lo cierto es que con la amnistía, gran parte de los emigrantes masones y liberales regresaron a España.

Pronto la masonería española crearía la figura de un Gran Oriente Español, denominado según algunos Hespérico. Francia e Inglaterra recibieron la notificación del nombramiento con el objetivo de reconstruir los lazos de amistad fraternal. Se adoptó entonces el rito escocés antiguo y aceptado.

Sin embargo, el horizonte no se aclararía de forma regular. Los grandes maestres ostentaron el cargo efímeramente, se crearon logias con un carácter solamente político y hubo nuevas represiones durante la reacción moderada de Narváez, en especial entre 1852-53 (que en realidad gobernaría "desde la sombra") y provocaría la Vicalvarada de 1854.La dispersión de las logias españolas fue un hecho. Unas (la mayoría) recurrieron a la dirección del Gran Oriente Lusitano, otros al de Francia, algunas lo hicieron al Gran Oriente de Italia y unas pocas recurrieron a la dirección de la Gran Logia de Inglaterra y a la de Bélgica.

Vicalvarada de 1854

La reacción policial no se hizo esperar, y su jefe Serra Monluis ordenó la detención de los miembros de la logia de San Juan de España en Gracia, Barcelona (1853), y sus líderes fueron condenados a diversos años de prisión, considerando que dicha sociedad secreta no estaba autorizada. Sea como fuere, pocos años después, la propia Isabel II, los amnistió. La logia había acudido a la obediencia francesa, como *La Sagesse*, también barcelonesa, y las gijonesas, Los amigos de la naturaleza y la humanidad.[33]

Los aires de libertad, la triunfante Revolución de septiembre de 1868 y la marcha hacia el exilio de Isabel II espoleó a la masonería española a una nueva reorganización al compás de las transformaciones sociales de la época. Se constituyeron tres grupos distintos: los agrupados alrededor de Ramón María Calatrava, gran maestro dependiente del Gran Oriente Nacional de España; las logias que dependían del Gran Oriente Lusitano y un tercero que deseaba organizar la orden sobre premisas más democráticas y que constituyó un Gran Oriente de España, eligiendo a Carlos Celestino Magnum como gran maestro (que ya lo había sido en 1846). Por último, en Sevilla algunas logias andaluzas constituyeron una Gran Logia Independiente Española, mientras en Barcelona, se intentó crear algo semejante agrupando todas las logias catalanas bajo la dirección de un gran dos antagónicas: la que lo hacía al Gran Oriente de España y la que tenía por jefe al Gran Oriente Nacional de España. Mientras el uno se decantó por una política de-

---

33   Se han conservado sus nombres: Aurelio Eybert, presidente de la logia; Carlos Marchand, Andrés Blanch, Hipólito Letrilland, José Girardort, José Dupra, Luis Paruns, Manuel Losada, N. Ramonel, Juan Prat, José Más y José Corlett. Viel Ferrer Benimeli, José, A. *Historia 16, Extra IV*; Noviembre 1977, Madrid, págs. 63-64.

mocrática y de expansión, el otro se declaró más conservador. El 21 de julio de 1870 en pleno Gobierno Provisional, Carlos Celestino Mayan de avanzada edad, fue sustituido como gran comendador y gran maestro por Manuel Ruiz Zorrilla a la seguridad del presidente de gobierno.

A raíz de la Revolución Septembrina, la masonería española empezó a abandonar su carácter de sociedad secreta presentándose en público un gran número de masones insignias en el entierro del brigadier Escalante. Estos actos públicos se repitieron en ocasión del entierro del Infante don Enrique, muerto en duelo por el duque de Montpensier y del entierro del general Prim, el hombre fuerte de la revolución, cuyo asesinato también se ha atribuido a la masonería, siendo también él iniciado (en el complot estarían suplicando Raúl y Angulo diputado por Cádiz, republicano y masón).

La animación que siguió a esta época convulsa fue extraordinaria. Las logias proliferaron. Los talleres no podían atender a tantas peticiones de iniciación y el Supremo Consejo se saturó, así como las logias de los líderes de los partidos liberales que deseaban intervenir en sus decisiones.

La abdicación de Amadeo de Saboya y la proclamación de la Primera República agudizó la confusión. El 1° de enero de 1874, Manuel Ruiz Zorrilla presentó su dimisión. Le sucedieron como gran maestro dos nombres andinos, uno como gran maestro Juan de la Someway, otro como gran maestro del Oriente Ibérico Juan Ubor. Fusionados ambos en 1876, fue elegido gran maestro de España Práxedes Mateo Sagasta, jefe del Partido Liberal y presidente del gobierno bajo el reinado de Alfonso XII.

Las logias reverdecieron sus laureles y su accionamiento fue inusitado. Sagasta no se valió de su puesto para influir en su cargo político como jefe de partido y jefe de gobierno.

Atendió a sus deberes masónicos desligándolos de los políticos y estableció sólidas relaciones de amistad con las logias extranjeras.

En 1881 Antonio Romero Ortiz sustituyó a Sagasta como gran maestro, siendo ministro de gracia y justicia. Fallecido prematuramente, fue revelado por Manuel Becerra, antiguo demócrata y ex ministro (1884). Un año después, moría permanentemente Alfonso XII, y su segunda mujer María Cristina de Habsburgo se encargaba de la regencia de su hijo el futuro Alfonso XIII.

En cuanto al Gran Oriente Nacional, fallecido en febrero de 1876 su gran comendador Ramón María Calatrava, fue elegido por las 46 logias bajo su obediencia, su secretario el marqués Seoane, senador del Reino. Con motivo de la conmemoración del primer centenario de su instalación en el país, se celebró en el salón chinesco del Retiro un banquete (29 de junio de 1880) y se acuñó una medalla en la que se mencionaba al conde de Aranda como presunto fundador.

Tras el fallecimiento del Marqués de Seoane, se convocó una Asamblea Constituyente en 1887 en Madrid para reorganizar las diversas logias dependientes del Gran Oriente. Fue elegido como gran comendador Mariano del Castillo, pronto sustituido por Alfredo Vega, conde de Ros. Las logias independientes de Madrid y Sevilla firmaron un tratado de amistad, pero las disensiones continuaron.

En 1888 pudieron fusionarse el Gran Oriente Nacional con los elementos dispersos del Gran Oriente de España, bajo el patrocinio de Miguel Morayta, y poco después el 21 de mayo de 1889, el propio Morayta fue elegido gran maestro del Gran Oriente español que había agrupado buena parte de las logias. Comprendía 235 logias simbólicas, 7 logias de adopción, 44 triángulos, 2 grandes consejos regionales, 5 capítulos Rosacruz y 11 cámaras de caballeros Kadosch, con 25 garantes de amistad de las potencias masónicas extranjeras.

Pero el mal endémico del carácter español, como es la división, volvió pronto aflorar de nuevo y poco antes de acabar el siglo XIX, se contaba de hecho con 5 centros masónicos que ejercían su jurisdicción en el país: El Gran Oriente Nacional, el Gran Oriente Ibérico, la Gran Logia Simbólica Independiente, el Gran Oriente Español y el Soberano Gran Consistorio General Ibérico.

Composición del Gran Oriente Nacional[34]

Según estadística de 1882 era la siguiente:

Senadores, diputados, títulos generales y altos funcionarios del Estado	130
Magistrados, jueces y abogados	1033
Oficiales superiores y militares de todas clases	1094
Ingenieros sin distribución	143
Médicos	794
Carreras varias	1105
Publicistas	1506
Propietarios	1392
Comerciantes	1882
Industriales	753
Bellas Artes	3588
Empleados y profesiones diversas total	14358

---

34   Recogido por Ferrer Benimelli, José a. OP. Cut. Pág. 66 (revista).

El Gran Oriente Nacional de España a través de la Constitución de 1893, salida a la luz tres años después, negaba tajantemente que la masonería fuera una religión positiva, una escuela filosófica y mucho menos un sindicato o un partido político. Su doctrina y sus principios, afirmaba, eran universales. Defendía la armonía del universo creado por el Gran Arquitecto, causa eterna, ley primordial y suprema razón de ser. El objetivo final de la masonería es promover la civilización, la beneficencia y la purificación del espíritu. Lucha por la mejora de las costumbres, desterrar el vicio, terminar con la ignorancia y el error extendiendo la ilustración a todas las clases sociales.

Que todo ello no concordaba en el pasado con la realidad, es cierto. Pero también a la Iglesia católica en diversos periodos "se le ha pegado el polvo de este mundo" (siglo X, "siglo de hierro", Inquisición, Renacimiento... "Cisma de Occidente"...).

Y el "polvo" que se le pegó a los masones les hizo identificarlos con los iluminados bávaros, los jacobinos franceses, los carbonarios italianos o los comuneros españoles, todos ellos con evidente espíritu conspirador.

Capítulo VIII
Papado vs. Masonería, fabianos y otros

Tras los enfrentamientos entre la Iglesia católica y la masonería en el siglo XVIII, estos continuaron en el siglo XIX, siendo el detonante la introducción de la enseñanza laica o sin religión que se empezó a aplicar en países como Francia, Bélgica o España e Italia a propósito de su unidad nacional.

En 1834 la masonería creó la Universidad Libre de Bélgica para oponerse al monopolio católico de la enseñanza superior. Por su parte, en Francia la lucha por una escuela laica estuvo en la orden del día agravándose en 1877, el Gran Oriente añadió a sus estatutos el principio de libertad de conciencia como reivindicación del laicismo manifestándose así:

"La francmasonería no es ni deísta, ni atea, ni siquiera positivista. Una institución que afirma y practica la solidaridad humana es extraña a todo dogma y credo religioso. Tiene como principio único el respeto absoluto de la libertad de conciencia. Ningún hombre inteligente y honesto podrá decir con seriedad que el Gran Oriente de Francia ha querido borrar de sus logias la creencia en Dios y la inmortalidad del alma, siendo así que, en nombre de la libertad absoluta de conciencia por el contrario, declara soberanamente respetar las convicciones, doctrinas, y creencias de sus miembros".

En España y Portugal se iniciaron campañas auspiciadas por la masonería para introducir escuelas gratuitas, obligatorias y laicas que fracasaron por falta de dinero: Por su parte, el ala fanática o extremista, terminó por manifestar un odio visceral a la Iglesia, presentada como la antítesis del progreso, la libertad y la civilización. Ante esta situación explosiva, intervino el papado. Ya a comienzos del siglo XIX lo había hecho Pío VII en su bula papal *Eclesial* en 1821 a la que siguieron Ana Gabriela Mala de León XII en 1826 y Gregorio XVI con su encíclica *Mirari vos*, 1832 aunque de forma moderada. Fue Pío IX, entre 1846 y 1878, y León XIII, entre 1878 y 1903, los que arreciaron en su condena, espoleados por la gravísima situación política de los Estados Pontificios. La lucha social contra los poderosos en pro de la unidad nacional, apoyada por las sociedades secretas, se convirtió pronto en guerra violenta contra la Iglesia y el gobierno papal. En una primera etapa Pío IX tuvo que refugiarse en Nápoles en 1849.

Pío IX cuando subió al solio pontificio en 1846 se ganó la popularidad de los patriotas liberales y católicos por su comportamiento de aproximación *(aggiornamento)*. Promulgó una amnistía para los presos políticos e hizo algunas reformas administrativas en sus Estados.

La situación cambió radicalmente cuando tuvo que huir a Gaeta a raíz de una insurrección en Roma que proclamó la República a través de su líder Giuseppe Mazzini. El saqueo de las iglesias e incautaciones estuvo en la orden del día, acusándole los católicos de que las obras de arte expoliadas, habían servido para pagar a la masonería británica que había anticipado el dinero para tomar la Ciudad Eterna.

Las tropas francesas de Napoleón III y españolas de Isabel II, repusieron a Pío IX en el trono papal en 1850. Entonces Pío IX inició una política de intransigencia contra el laicismo: *Non possumus*. Paralelamente proclamó el dogma de la Inmaculada Concepción. Convocó el Concilio Vaticano I y proclamó el dogma de la infalibilidad Papal. La Encíclica *Quanta Cura* y el anexo *Syllabus* iba contra las enseñanzas anticlericales, el liberalismo extremo y el iluminismo.

La unidad italiana se despojó de sus estados (1870) y se refugió en el Vaticano admitiendo la derrota, pero negándose a negociar. Víctor Manuel II se instaló en el palacio papal del Quirinal. La actitud antimasónica de Pío IX se puso en evidencia en más de cien documentos de los que destacan sus once encíclicas. Todos los males contra la Iglesia se habían desarrollado en el siglo XVIII impulsados por la masonería y habían llegado a su apogeo con la Revolución francesa. En el *Syllabus* hacía hincapié en las relaciones de la masonería con el comunismo, el liberalismo y el socialismo, junto con el panteísmo, racionalismo, etc.

Tampoco los carbonarios con la encíclica *Múltiples Inter* se salvaban de la guerra.

Toda esa cantidad de escritos los recogió y unificó en la *Constitución Apostolicae Sedis* (1869) un año antes de que Garibaldi tomase Roma.

Protagonista de la unidad italiana fue Garibaldi primero carbonario y luego miembro de la Joven Italia de Mazzini, para ingresar en la masonería en 1844. En 1860 alcanzó el grado de maestro y después, fue elegido gran maestro del Gran Oriente de Palermo y de la masonería italiana.

El entierro de Pio IX en 1878 fue dramático, pues fue apedreado el féretro y un grupo de desalmados fracasó al intentar tirarlo al río. Su figura suscitó odios y sinceras adhesiones de los católicos.

II continuó las condenas contra la masonería
[...]cierro en el Vaticano a través de unos doscien-
[...]ta documentos en los que incluía las sociedades
contrarias a la Iglesia. De todos ellos, sobresale la encíclica
Humanum genus (1884) que enlazaba con las condenas del
siglo XVIII de los papas Clemente XII y Benedicto XIV.
Fue muy criticada por las asociaciones masónicas y también
por unas pocas católicas. En 1896 se celebró un congreso
antimasónico con Trento del que partió la acusación de satanismo en la masonería que Léo Taxil, vino a añadir más
fuego a la controversia.

Léo Taxil y su obra "Los Misterios de la Franc-masonería"

La *Humanum genus* provocó un alud de escritos de los
obispos, eclesiásticos y prensa católica contra la hermandad
durante muchos años, a ella se vino a añadir en 1890 una
nueva encíclica con el título de la *Masonería contra el papado* que provocó protestas en las calles romanas ávidas por

terminar para siempre con el más mínimo poder temporal papal y su contestación contraria, deseando su restablecimiento.

La intervención masónica en la unidad italiana y en los hechos revolucionarios del siglo XIX en Francia, Portugal, Bélgica, España o Rusia en mayor o menor grado es evidente. Como es evidente que los furibundos ataques contra la masonería de este periodo por parte de la jerarquía católica, provocaron todavía más un fervoroso anticlericalismo que en el ala radical se transformó en ateísmo.

El 27 de mayo de 1917, en plena guerra europea, Benedicto XV recogía en el *Código de Derecho Canónico* todos los principios antimasónicos de la doctrina de Pío IX y León XIII resumidos en estas palabras en cuanto a su sanción:

"los que dan su nombre a la secta masónica o a otras asociaciones del mismo género, que maquinan contra la Iglesia o contra las potestades civiles legítimas, incurren *ipso facto* en excomunión simplemente reservada a la Santa Sede Apostólica que estuvo vigente hasta 1983 en la que su omisión daría origen a una nueva controversia".

La intervención de la masonería en el asesinato del Archiduque Francisco Fernando en Sarajevo que dio origen a la Primera Guerra Mundial, pudo ser —según los historiadores— en mayor o menor grado como en La Paz o Tratado de Versalles y sus subsiguientes de 1918-1920 en el que uno de sus grandes protagonistas sería el presidente norteamericano Woodrow Wilson y su colaborador Edward Mandell House, ambos iniciados (que verían la Revolución rusa como simples espectadores) como el resto de interlocutores norteamericanos, o de organizaciones afines. Todos ellos elaboraron los famosos Catorce Puntos de su programa de paz, aunque en las reivindicaciones realistas del resto de vencedores poco caso hicieran de ellos, salvo la creación de la Sociedad de Naciones en Ginebra condenada al fracaso desde el primer momento por la negativa de los Estados Unidos a entrar en ella como represalia por el escaso apoyo que habían mostrado aliados a los Catorce Puntos.

No obstante las caricaturas de que ha sido objeto el pretendido idealismo "utópico" wilsoniano, puede considerarse su figura como una de las más importantes forjadoras del siglo XX. Después de la Segunda Guerra, los aliados no pudieron menos de repetir el colosal experimento de la Sociedad de Naciones, aunque con nombre distinto, lo esencial ha quedado. El mundo de buena voluntad estaba sediento de un poder de sanción internacional. ¿Ideal? ¿Utopía? Críticas a su labor, muchas, ¿intervención de masonería en ella con las famosas "organizaciones pantalla" como la CFR (*Council on Foreign Relations*)? Lo cierto es que el ser humano sigue intentando el sueño de una paz duradera. Al CFR pertenecieron presidentes masones como Truman, Lyndon, B. Johnson y George Bush (padre) y otros no masones como Eisenhower, Kennedy, Nixon y Carter. Al mismo organismo estuvieron o están encuadrados miembros de sobresalientes familias como Rockefeller, Rothschild, el multimillonario británico de origen judío ambos masones y otros que perteneciendo al CFR no lo fueron como los hermanos del presidente Kennedy, uno de ellos, Bob, como el asesinado.

LOS FABIANOS UNA SOCIEDAD
PACIFISTA CON VÍNCULOS MASÓNICOS

Otra organización "pantalla" de la masonería fue la Sociedad Fabiana, fundada en 1884 en Inglaterra, con un clima burgués (clase media y alta) esotérico, masónico y teosófico.

Tomó el nombre de un general romano (Quinto Fabio Máximo), llamado el *Cunctator* ("el Contemporizador").

Se fijó como objetivo la entrega de los medios de producción a la colectividad y su gestión en beneficio de todos. Adversarios de la lucha de clases, sus integrantes quisieron llegar mediante la persuasión, a un estado gradual y pacífico de la sociedad capitalista. Agrupó a economistas, sociólogos, periodistas y escritores con una gran presencia en las universidades de Oxford, Cambridge y en los EE. UU. Harvard, Columbia y Princeton. Contaron con un periódico tan importante como el *New York Times*.

Entre los primeros fabianos cabe mencionar al periodista masón William Clarke, discípulo de Mazzini y las también masonas Annie Besant y Alice Bailey, fundadora de la Escuela Arcana y de Buena Voluntad, las dos teosóficas con una base gnóstica, cabalística y que recuerda al budismo, doctrina muy querida por muchos masones que ven en ella un auténtico misticismo como síntesis de diversas creencias.

Con un alto contenido masónico y esotérico, sin renegar de sus orígenes socialistas, los fabianos organizaron una activa propaganda mediante conferencias y folletos en todo el Reino Unido con un gran impacto en Londres, Lancashire, Yorkshire y los Midlands. Influyeron mucho en el Partido Liberal. Rompieron con las corrientes socialistas al apoyar la guerra de los Boers (1901), y contribuyeron al origen del

Partido Laborista. Sus ideas alcanzaron al famoso revisionista marxista Bernstein.

Otras dos sociedades estrechamente vinculadas en la masonería fueron *Skulls and Bones* (calavera y huesos) y *Bohemian Club*. Esta última inició sus reuniones anuales en un lugar relativamente cercano a San Francisco ("bosque o club de los bohemios") en 1872. Vale la pena describir su extraña reunión en la que los participantes, con un gorro rojo druídico y una vestimenta blanca, queman un muñeco, símbolo de sus preocupaciones. Les gustan extrañas representaciones teatrales en las que intervienen. Su símbolo es el búho, capaz de ver entre las tinieblas nocturnas, símbolo de Atenea, y ha atraído a grandes personalidades como David Rockefeller, Henry Kissinger, Thomas Watson, director de IBM, George Bush, W. Clausen del Banco Mundial, etc.

Capítulo IX
Últimos años del XIX
El siglo XX

El esperpéntico Léo Taxil

Léo Taxil, francés, cuyo verdadero nombre era Gabriel Jogand Pagés, de acérrimo anticlerical y masón, con libros incendiarios como *¡Abajo los curas!*, *El hijo del jesuita*, *Los amores de Pío IX* y un largo etcétera, tras ser expulsado de la masonería, cambió inopinadamente de bando y decidió hacer de su pasado masónico un lucrativo negocio.

Un año antes de su aparente sincera conversión, León XIII había publicado la bula *Humanum genus* (1884) contra la masonería, acusándolo de satanismo. Según la controversia iniciada por Pío IX en la *Constitución Apostólica Sedis* (1869) poco antes de la toma de Roma por el iniciado Garibaldi.

Taxil encontró el terreno abonado y arremetió contra la masonería intercalando fragmentos masónicos tergiversándolos para sus fines. Hablaba de una masonería femenina y vinculaba la sociedad secreta con el culto a Lucifer, más que el demonio, el ángel caído de la luz. La controversia estaba servida. Los católicos le aplaudieron y los masones, unos, le acusaron de calumniador y otros, le preguntaron cómo podían comunicarse con el diablo.

Pronto Taxil tuvo una pléyade de seguidores mientras él se enriquecería con sus escritos y hasta se inventó dos supuestas señoras, la primera, una tal Sophia Walder, bisabuela del Anticristo, presentada como gran maestra del satanismo que denominaba *Palladismo*. La segunda Miss Diana Vaughan, hija de un demonio, autora de *Memorias de una Palladista*.

En su gira por el mundo, la Vaughan se encontró a Taxil y se plegó a sus prédicas. En 1887, Taxil fue recibido en audiencia privada por el Papa León XIII, entusiasta de la labor desenmascaradora que llevaba a cabo.

Un año antes se había celebrado en Trento un congreso antimasónico al que fue invitado Taxil y la señorita Vaughan, este excusó la asistencia de la Vaughan y algún delegado comenzó a sospechar por ello: Taxil prometió que vendría con ella a la reunión de la Sociedad Geográfica de París, convocada para el 19 de abril de 1897.

Ante un numerosísimo público, confesó su superchería. Todo había sido inventado. Acto seguido en medio de un tremendo escándalo desapareció.

Los masones aprovecharon la situación para proclamar que todas las acusaciones sobre ellos eran falsas, su implicación en la política, hasta su relación en el culto a Lucifer, ni mucho menos eran protagonistas de una conspiración a escala mundial. Para los católicos, Taxil había mentido, era cierto, pero lo que contaba era verdad, y en el fondo no dejaba de ser el teatral episodio una patraña masónica para dejar en evidencia a la Iglesia Católica y a la Santa Sede.

Quizás la verdad se encuentra en un punto intermedio. Que Taxil era un farsante sin duda y que se enriqueció en ello también. Sin embargo, estaba demostrado que desde finales del siglo XVIII, la masonería había tenido un papel relevante en la política, tanto en Europa como en Hispanoamérica, y el ejemplo más palpable se habría dado en el mundo mediterráneo, y en cuanto a su comunión con Lucifer, su relación con cultos mistéricos gnósticos es evidente como lo demostró el norteamericano Albert Pike, general secesionista, condenado a muerte tras la guerra, y en 1866 indultado por el presidente Johnson, también masón como Pike, en su Obra *Moral y Dogma del antiguo y aceptado rito escocés de la masonería* (1871).

Pike considera a Lucifer como un ser espiritual positivo que había revelado los secretos mistéricos de la Luz a un sector escogido de la raza humana. Una especie de Prometeo condenado por ello.

La conjuración judeo-masónica

Desde tiempo inmemorial (que remonta supuestos orígenes) masonería y judaísmo han ido unidos *mutatis mutandis*, el antisemitismo ha ido unido a los antimasónicos, en especial, cuando a finales del siglo XIX se fraguó la existencia de una pretendida conspiración judía encaminada a gobernar el mundo.

El antisemitismo es una actitud mental y visceral que se remonta al período helenístico y a Roma con un carácter más cultural y religioso que social.

En los tiempos medievales tuvo un corte religioso (la resistencia de los judíos a convertirse al islam o al cristianismo) y social (los judíos acaparaban los cargos económicos). En la llegada de la Ilustración se fue tiñendo de tonos sociales con escritos injuriosos y falsos: Voltaire y en el siglo XIX, Nietzsche o Wagner, con la figura del judío perverso y calculador y el *judío errante*.

La idea de una conspiración judeo-masónica no cobró cuerpo hasta la segunda mitad del siglo XIX con obras como *Biarritz* de un tal Hermann Goedsche, con un episodio en el que durante la fiesta judía de los Tabernáculos en el cementerio de Praga se despedían con la convicción de su conquista del mundo antes de un siglo.

El capítulo hizo fortuna y fue publicado en San Petersburgo en 1872 y en ediciones posteriores que lo presentaban como auténtico, y se le atribuyó un origen británico. Nació así un panfleto antisemita el *Discurso de rabino* con hechos como la asistencia a un supuesto Congreso en 1912.

Paralelamente, salieron otras obras con idéntico sentido en Francia y, sobre todo, en Rusia. Había tenido lugar en Francia el caso Dreyfus de origen judío, acusado injustamente y condenado a cadena perpetua en la Guayana. El escritor Émile Zola publicó en el diario *La Aurora* una carta abierta *Yo acuso* que removió las conciencias. Tras la revisión del proceso, no fue rehabilitado hasta 1906.

En 1919 apareció en Londres *The Jewish peril: protocols of the learned elders of Sion* del que se publicaron versiones alemana y francesa, a partir de 1920. Se presenta como el "proceso verbal" de un supuesto Congreso desarrollado en Basilea entre delegados sionistas y representantes de las altas finanzas, con el fin de firmar un acuerdo para dominar el mundo. Conferencia ajena al Congreso de Basilea de 1907 y en la que se destacaba la ayuda de la francmasonería.

Se trataba en realidad de la traducción del libro de S. Nil que apareció en Rusia *El Anticristo considerado como una cercana eventualidad política* (1905) obra que utilizaron los medios reaccionarios rusos (*las centurias negras*) y que se encargaron de difundir. En 1921 se probó que esta obra era ya una antigua falsificación que reproducía, en su mayor parte, un panfleto político francés del siglo XIX contra Napoleón III.

A pesar de conocerse el fraude, los protocolos se siguieron publicando y una psicosis obsesiva se extendió por doquier, que ha llegado hasta nuestros días, con elementos contradictorios. Tan pronto la judeomasonería es interpretada con la plutocracia como la que sostiene la revolución proletaria y que inspira toda la doctrina marxista y como ejemplo más palpable la persecución de Hitler y la Guerra Civil Española y la posguerra todavía está en el recuerdo de todos.

ESTADOS UNIDOS SIGLOS XIX Y XX

Tras el desgraciado y confuso incidente Morgan de 1824 en el que fue acusada la masonería de su asesinato, un político norteamericano llamado Thurlow Weed aprovechó la circunstancia para emprender una campaña antimasónica que fue secundada por varios clérigos y por un sentimiento de animosidad popular.

Thurlow Weed

Algunas logias cerraron por falta de miembros que se escondieron por temor. Un partido político antimasónico se organizó a nivel nacional con violencia y en estados como Illinois o Michigan se quedaron sin logias por cierre forzoso. Periódicos y mítines antimasónicas proliferaron. William Wirt, se presentó en 1832 como candidato a las elecciones presidenciales por el partido antimasón, aunque él lo era y no había renunciado a ellos, sin embargo, no habría proferido ningún ataque contra sus hermanos. Perdió las elecciones en beneficios de Andrew Jackson, y la oposición a la masonería, ante la dificultad de encontrar candidatos que no lo fueran, se diluyó, salvo en Pensilvania, por algún tiempo.

Desde la guerra de 1860 se incrementó el número de masones. Había sido un judío, Esteban Morín, quién introdujo en el país un sistema de veinticinco grados de Perfección de Francia que sirvió años más tarde para fundar el Rito Escocés Antiguo y Aceptado. Charleston se convirtió en el centro de la masonería norteamericana.

En 1813 se había creado un nuevo Consejo Supremo de Nueva York que permanecería allí hasta su definitivo traslado a Boston. Nueva York luchó para constituir un Supremo Consejo Central, único para toda la Unión, pero este no pudo lograrse hasta finales del XIX.

En Luisiana subsistió un tiempo un Gran Oriente de origen francés hasta la disolución en 1878. En el último tercio del siglo XIX, la masonería norteamericana tuvo un gran auge, superando a la europea, por la escasa rivalidad entre las logias y luchas internas. Estos explotaron al gusto de los estadounidenses por obtener títulos y condecoraciones.

No surgieron por ellos dificultades por la integración de las logias negras y las blancas. Tendrían que pasar muchos años para que esto sucediera. Otra sociedad secreta el *Ku Klux Klan* le cerró el paso.

La ventaja de la masonería norteamericana fue que sus ritos y órdenes estaban limitados al derecho común, lo que benefició el desarrollo de las logias de forma extraordinaria y variada, si bien fueron adaptándose a cinco métodos rituales, cuatro de ellos constituyeron el denominado *Rito de York*.

Otra de las ventajas de las logias norteamericanas fue la fundación de logias para estudiantes de universidades desde 1904. La presidencia se estableció en Chicago. Sin embargo, a pesar del auge de la masonería en el país a comienzos de 1920, solo el 2% de la población pertenece a alguna logia.

La depresión económica de 1929 hizo descender el número de afiliados. Con la Segunda Guerra Mundial aumentaron nuevamente las inscripciones, pero posteriormente disminuyó el número global de miembros en la mayor parte de los Estados.

Pese a estas fluctuaciones, la masonería logró extender su radio de acción benéfica en amplios sectores: orfelinatos, residencias para ancianos, hospitales de niños lisiados, proyectos de investigación psiquiátrica y concesión de becas. Indudablemente dejó de ser una sociedad secreta.

En 1912 se inauguró en Washington el que sería por entonces el templo más suntuoso del mundo, costó cerca de un millón de dólares de entonces. Para el evento tuvo lugar una conferencia internacional de los Supremos Consejos masónicos. Los medios de prensa controlados por ella son importantes.

Con el Concilio Vaticano II (1962-1965) las relaciones entre la masonería y la Iglesia católica progresaron sencillamente en los Estados Unidos. Del recelo y las agrias palabras, se pasó a un ambiente de respeto y cooperación. El padre John A. O'Brian de la Universidad de Illinois, presionó para que la iglesia revisara sus puntos de vista sobre la masonería, al descubrir que los jóvenes masones eran personas serias, religiosas, tolerantes y caritativas.

En 1974 el Santo Oficio de la Iglesia católica anuncia una nueva interpretación del Derecho Canónico respecto a la prohibición de sus miembros de hacerse masones, hasta el punto de lograr que en los Estados Unidos no hubiera incompatibilidad en ser católico y masón a la vez. Muchos presidentes lo fueron, desde George Washington, James Monroe, Andrew Johnson, James A. Garfield, William McKinley, Theodore Roosevelt, William Howard Taft, Warren G. Harding, Franklin D. Roosevelt, Harry S. Truman, Lyndon B Johnson, Gerald Ford...

FRANCIA

Con el advenimiento de la Tercera República en 1871, la masonería pasó a ser la columna vertebral del partido republicano, espoleando la separación entre la Iglesia y el Estado, y la persecución de las congregaciones religiosas. En 1877 en plena campaña electoral se decidió abolir el artículo primero de la Constitución relativo al Gran Arquitecto del Universo, lo que trajo consigo la ruptura de relaciones entre la masonería francesa y las anglosajonas.

A finales del siglo XIX, el Partido Radical francés se transformó en una fuerza política totalmente controlada por la masonería. Sin embargo, esta rebasó sus límites e invadió el Partido Socialista sin que al Gran Oriente le importara poco la entrada en las logias de miembros que procedían de un partido político ateo y materialista, y hasta rebajó las cuotas de admisión para franquearles el paso. Entre los socialistas sobresalientes iniciados figuraban Jean Longuet, Jean Monnet, Roger Salengro y Vincent Auriol (1884-1966), quien ocupó dos carteras durante la presidencia de León Blum (1936-1938). Participó en la resistencia con el general de Gaulle y fue presidente de la República de 1947 a 1954, y acérrimo combatiente del franquismo. Pero aún hay más, el papel de las logias en la enseñanza fue relevante a comienzos del siglo XX en la educación y en el ejército. En 1910 más de diez mil maestros eran masones y en el ejército los oficiales masones habían confeccionado una lista para promocionarse y bloquear los accesos a los oficiales no masónicos (*Affaire des Fiches*).

También en el Partido Comunista Francés había iniciados. Papel destacado tuvo André Marty en la guerra civil española como jefe de las Brigadas Internacionales. Había cobrado fama cuando organizó un motín en 1919 en la Flota del Mar Negro que había acudido a ayudar a los antirrevolucionarios. Juzgado y condenado, la masonería francesa organizó una campaña política y de opinión en su favor que contribuyó a eludir el peso de la ley, conducta que se repetiría en otras ocasiones a pesar de que sus constituciones recalcan la necesidad de cumplir con las leyes del país... Pero claro, en este caso se trata de "masonería latina".

Todas estas intervenciones propiciaron el éxito de las izquierdas en las elecciones de 1924, la victoria de las radicales en 1932 y el triunfo de Frente Popular en 1936. La derrota frente a los nazis de 1940, trajo consigo la prohibición de las logias por el gobierno de Pétain. Los funcionarios declarados miembros fueron conminados a dimitir. Pero en 1942 se duplicó la persecución con el regreso de Pierre Laval al poder (fusilado en 1945 por su colaboracionismo con los nazis).

La mayoría de los sancionados se afilió a la resistencia, y con la llegada de la liberación el deseo de unificarse fracasó. Las antiguas obediencias se reorganizaron y fueron creadas otras nuevas.

En la actualidad, la masonería francesa cuenta con alrededor de sesenta mil miembros (más o menos) de todas las clases sociales, en especial, técnicos y profesionales liberales. El masón típico tradicionalmente destaca en preocupaciones intelectuales, sociales y espirituales. Ha dejado de ser anticlerical y ateo y ha encontrado de nuevo el gusto al simbolismo, a los misterios y al valor metodológico de la iniciación. Sin embargo, ha perdido el importante papel que antes desempeñaba en la política francesa. Prefiere mostrarse como una sociedad que aspira a mantenerse discretamente (no secretamente) en segundo plano, dedicada al perfeccionismo de sus miembros dentro de la sociedad que le ha tocado en suerte vivir.

LA BÚSQUEDA IMPOSIBLE

En el último tercio del siglo XIX en buena parte de Europa se mantenía la esperanza de unificación de las diversas logias con sus diferentes ritos y orígenes. En Suiza, el Rito Escocés se inspiraba en la tradición caballeresca, en toda su pureza. En 1875 tuvo lugar en la ciudad de Lausana una reunión muy nutrida con el objeto de revisar y reformar las grandes constituciones y fijar unos principios básicos tendentes a pactar una alianza entre los masones sin distinción de raza, lengua o nacionalidad. En ella no faltaron los Supremos Consejos de Inglaterra, Escocia, Bélgica, Francia, Italia y muchas más.

Junto a los deseos de unificación, el Rito Escocés aceptó en gran parte los principios democráticos desechando la doctrina original de ser una amalgama colectiva de arquetipos místicos, aristocráticos y autoritarios, arrinconando en el baúl de los recuerdos, las ancestrales creencias religiosas o las leyendas de los templarios que habían preferido a los objetivos filosóficos y sociales. Los privilegios que en el pasado habían sido motivo de tantos conflictos quedaban reducidos a simples títulos honoríficos sin valor específico.

Fue Suiza un pequeño país europeo el que se había dado la pauta para que se produjera la necesaria regeneración masónica mundial, aunque no la beneficiosa y anhelada unidad de obediencias que el espíritu masónico siempre ha poseído.

GRAN BRETAÑA

En la actualidad existen en la isla más de 7600 logias de las que alrededor de 1700 tienen su sede en la capital.

Cada año se producen unas 1700 iniciaciones. Resulta casi imposible conocer el número exacto de miembros porque cada uno puede estar inscrito en varias logias a la vez y no existe constancia de los masones "jubilados".

La Gran Logia gobierna Londres, junto a ella existen dos niveles de gobierno, el de esta y el de las logias provinciales.

Al frente de cada provincia, equivalente más o menos a los condados, se encuentra el gran maestro provincial que designa a los oficiales provinciales que lo ayudan en el gobierno. También puede nombrar otros cargos: un delegado, grandes maestros asistentes, diáconos, abanderados, directores de ceremonia, etc. La mayoría de estos cargos son honoríficos, siendo ocupados por antiguos maestros provinciales que se han distinguido o por ser veteranos. También existen los grandes maestros de ultramar y de "distrito".

Hasta 1907 las logias londinenses fueron gobernadas directamente por el gran maestro, después se sustituyó el *London Rank* llamado después *London Grand Rank* equiparado a los grandes oficiales provinciales y seleccionados entre los exmaestros de la capital.

La Gerencia General queda en manos de la Gran Logia con un cuerpo de gobierno semejante al de las grandes logias provinciales.

Diecinueve logias llamadas *Delantal Rojo* nombran un gran mayordomo anualmente, a cuyo cargo corre el gran festival anual.

Además de los altos grandes cargos existen los tres tradicionales de aprendices, compañeros y maestros masones. Los aprendices portan un mandil blanco liso, con dos rosetas azul claro y los *compañeros* y los maestros masones mandil blanco de cuero con reborde azul claro y tres rosetas, una en la falda.

El maestro de una logia o en funciones (no hay que confundirlo con el maestro masón) lleva el mismo mandil con tres niveles azules o de plata en vez de las tres rosetas. Ambos tienen dos borlas de plata que cuelgan de cintas color rosa pálido por debajo de la falda del mandil.

El mandil de la Gran Logia es de mayor tamaño. Un galón indica la categoría de cada gran oficial.

Los oficiales llevan en su logia collares azul claro de los que cuelgan "joyas" o medallones con indicación de su cargo. El exmaestro que ha terminado sus funciones, lleva un collar del que cuelga una joya que representa el *teorema de Pitágoras* y siempre que visita una logia tiene que ponérselo.

Los judíos fueron admitidos sin dificultad en las logias inglesas y llegaron a ser muy numerosos. Además, las logias se han visto nutridas con miembros procedentes de todas las partes del antiguo imperio. Para su aceptación tienen que confesar la creencia en un dios personal, aunque procedan de diversas religiones. Para su iniciación necesita el aval de una logia particular.

Además de los tres grados tradicionales existen otros "superiores" o "laterales" a los que solo pueden acceder los maestros masones.

El arca Real Santa puede ser considerada como la cima del grado de maestro masón. Se compone de cuerpos llamados *capítulos*, presidida por tres principales. Capítulo es agregado a una logia en oficio.

En Inglaterra el Arca Real forma parte de la masonería oficial y el gran maestro de la masonería es siempre el primer gran príncipe en el gran capítulo.

La leyenda sobre el Arca Real recuerda la reconstrucción del Segundo Templo de Jerusalén. En Irlanda la leyenda habla del templo de Salomón, las ceremonias son parecidas. Los adornos que llevan en la Arca Real son un mandil, y una banda dentada con colores azul y púrpura.

Una vez más hemos de recordar que aunque existen diversidad de masonerías en el mundo, totalmente independientes con diferentes aspectos, existe una unidad de indudable espíritu. La diferencia fundamental es que las que se hallan bajo la influencia de la Gran Logia inglesa son *deístas* y solo admiten a los que reconocen un Dios como principio creador *(el Gran Arquitecto del Universo)* y siguen los dictados de la Biblia, el Talmud, el Corán o los vedas.

Las denominadas masonerías latinas son de inspiración nacionalista y liberal, y prescinden de la referencia al Gran Arquitecto. Son laicas y en sus rituales no existe ningún rastro bíblico.

La *Gran Logia de Francia* adopta una posición intermedia. No exige la creencia en el Gran Arquitecto, pero lo admiten como un símbolo indeterminado, tutelar y oscuro.

La Biblia es uno de los tantos libros de meditación que existen para acrecentar la sabiduría de sus miembros. Sea como fuere, por uno u otro camino, todos los masones del mundo buscan la verdad en libertad y fraternidad, dentro de un espíritu de igualdad.

En 1938 y 1949, las tres grandes logias de Inglaterra, Irlanda y Escocia declararon con toda solemnidad que la primera condición para ser admitido en la orden "es la Fe en el Ser Supremo", condición "esencial y que no admite compromiso". La Biblia ha de permanecer siempre abierta en la logia. Nadie puede atentar contra la paz y el buen orden, acatando a su soberano y no discutiendo ni prolongando sus puntos de vista teológicos o políticos. La separación entre los dos escenarios de masones es pues evidente.

En la Asamblea de Frankfurt del 29 de septiembre de 1962 se volvieron a recalcar estos principios por las Grandes Logias unidas alemanas.

Italia

Al finalizar el siglo XIX, la unidad italiana era ya un hecho incontestable. La Gran Logia independiente se fundó en 1861 en Turín, transformada años después en el Gran Oriente de Italia y aunque la ya citada Asamblea de Lausana la refrendó como única autoridad legítima en el país del Rito Escocés, el traslado de la capitalidad a Roma fue solo propio con ella.

En la capital italiana se centralizó todo el ritual de las distintas provincias italianas bajo la dirección de un Supremo Consejo y estableciendo cinco secciones o delegaciones provinciales: Roma, Milán, Turín, Nápoles y Palermo, medida descentralizadora de carácter democrático que no gustó a muchos. Sus miradas se volvieron a la Gran Logia Simbólica independiente, constituida ya en 1866.

Un hecho ecuménico, universal, ocurrió en 1869 con motivo del entierro del arzobispo de Livorno, monseñor Girolamo Gavi, arma de Adriano Lemmi, furibundo gran maestro italiano, distinguido por su anticlericalismo.

Gavi fue un antecedente del bondadoso Papa Juan XXIII. Profundamente religioso y fidelísimo al romano Pontífice, fue a la vez abierto a todos: a los patriotas insurrectos, a los austriacos, hasta entonces dominadores, a las hermanas de clausura, a los laicistas, a los protestantes, ortodoxos, a los masones y también a los judíos, muy numerosos en su sede.

En la sesión de la Junta Nacional del Gran Oriente de Italia, se decidió que los masones intervendrían en sus actos de condolencia por el fallecimiento del querido obispo como otros ciudadanos cualquiera.

La aprobación de la propuesta fue unánime y la firmaron Ernesto Nathan, gran maestro, y los diversos consejos como Ettore Ferrari que le sucedería en el cargo. Ambos llevarían las riendas de la masonería italiana hasta su supresión por Mussolini en 1925, junto con Dominizo Torrigiani que cerró la orden ante la prescripción del Duce. Ettore Ferrari sería el autor del monumento al rebelde renacentista Giordano Bruno ajusticiado por la Inquisición en la hoguera en el Campo de Fiori de Roma, acusado de herejía en 1600.

Monumento al rebelde renacentista Giordano Bruno

La tendencia secular y laica se hallaba en decadencia y la división se manifestó como consecuencia de una votación parlamentaria celebrada en 1908 a propósito de la enseñanza religiosa en las escuelas. Mientras los dirigentes masónicos eran contrarios a ella, los masones más auténticos creían que debía existir libertad de voto según conciencia.

En 1913 una encuesta llevada a cabo por el periódico *Idea Nazionale*, puso en evidencia estas dimensiones y falta de criterio unitario con las críticas consiguientes a la organización. Varios hombres se manifestaron en este sentido como Luigi Einaudi que llegaría a ser presidente de la República o Benedetto Croce filósofo.

Al año siguiente se produjo la declaración de incompatibilidad entre la masonería y el Partido Socialista italiano, a pesar de que esta fuera la cuna de los ideales socialistas durante el periodo populista y romántico. Las dimensiones menudearon hasta que en el Congreso de Áncora de 1914, la declaración fue un hecho. Los líderes masones no estuvieron a la altura en su defensa. Entre los delegados Socialistas brilló uno de "tristes destinos": Benito Mussolini. La crítica de los propios masones a la situación, palpable, justificó su derrota también a algunos socialistas.

La Revolución Soviética y la masonería

El zar Alejandro I (1801-1825) prohibió la masonería en su Imperio que no volvería a levantar cabeza hasta finales de la década de 1880, desde el exilio en París, con la fundación de una logia rusa en la que entraron también franceses, bajo la órbita del Gran Oriente francés.

Su líder fue el sociólogo M. M. Kovalevsky (1851-1916). Impulsó en París la creación de una Escuela Rusa de Estudios Superiores para exiliados rusos y en ella serían educados por profesores masones personajes como G. V. Plejánov pionero del marxismo ruso, Lenin y Lunacharski, futuro ministro de Educación soviético, iniciado también en la masonería.

Imagen de M. M. Kovalevsky

Tras la revolución de 1905, se abrieron las primeras logias en pleno suelo ruso (ya existían algunas en Lituania y Polonia). Kovalevsky fundó en diciembre de 1906 la logia Estrella Polar en San Petersburgo que se vino a añadir a la logia Resurrección de Moscú bajo la dirección del Gran Oriente francés.

En 1910 los masones rusos decidieron desligarse de la tutela francesa, aunque sin romper por completo los lazos con ella. Esta insistió que los "hermanos" debían de ocupar cuantos más cargos de revelación mejor en la administración Estatal, y el ejército y la diplomacia, cosa que siguieron a pies juntillos.

En 1914 los masones acaparaban puestos importantes en la Duma, el Comercio, la industria, la abogacía, las cátedras en Moscú y San Petersburgo.

En 1915 en plena Guerra Europea, los masones defendieron los intereses nacionales y crearon el Bloque Progresista con el propósito de derrocar la monarquía. Los masones se habían infiltrado en el seno de los mencheviques, los eseristas y el ala izquierda *Kadel*.

Kropotkin, discípulo del padre del anarquismo Bakunin (ambos aristócratas y masones), insistió en el apoyo de la masonería en el proceso revolucionario hasta su triunfo final. En este caso la actuación de la masonería rusa entró dentro de la órbita de lo que hemos venido a llamar *masonería latina*.

En 1917, tras la Revolución de Febrero que derrocaron al zar en el gobierno provisional, figuraban masones como Nekrásov, Kérenski y Terehenko. Rusia estaba cubierta por una tupida red de logias masónicas. Solo un ministro no era iniciado aunque sí estaba muy influenciado por los "hermanos": Miliukov. El duque Lvov, masón, había confeccionado las listas de los cargos.

Sin embargo, como había ocurrido y ocurrirá en otras ocasiones, los masones que habían contribuido en derrocar, no fueron tan afortunados en construir, presionados también por sus hermanos del Gran Oriente francés, empeñados en que continuaran en la guerra. Y fueron desplazados por los bolcheviques, que realizaron una sistemática represión de cualquier opositor. Sin embargo, la situación de los masones no empeoró, incluso algunos hermanos colaboraron con el nuevo gobierno como Teréshchenko o Nekrásov.

En 1922 una resolución de la *Komintern* definía a la masonería como un movimiento pequeño burgués, hecho que no la perjudicó porque las logias por propia voluntad se habían exiliado, aunque no recibieron ninguna ayuda del Gran Oriente francés, o se habían disuelto en la vorágine de los acontecimientos.

No sería hasta 1992 a raíz de la desaparición del régimen soviético cuando la masonería regresaría a Rusia.

EL FIN DEL IMPERIO OTOMANO

La influencia de la masonería en el Imperio otomano se inició rebasada la segunda mitad del siglo XIX. El Gran Oriente francés restableció en Estambul una logia en 1863, un miembro de ella greco-turco, contacto con Midhat Pasha, alto funcionario y gran visir en 1872 del sultán Abdul-Aziz, que inició en la masonería al príncipe Murad, sobrino del Sultán.

En 1876 aprovechando una sublevación de Bulgaria, Midhat Pasha dio un golpe de Estado y proclamó como Sultán a Murad.

Sin embargo, este no pudo mantenerse en el trono y fue derrocado por Abdul Hamid II que gobernaría durante más de treinta años.

También en el final de su reinado, intervendrán la masonería. En 1909 los jóvenes turcos lo depusieron y entronizaron a Mehmed V que declaró su intención de gobernar de acuerdo a las nociones de "libertad, igualdad y justicia para todos".

El jefe de los jóvenes turcos fue Talaat Bey, masón y gran maestro del Oriente turco. En 1917 ya como Mehmet Talaat Pasha se convirtió en gran visir, responsable con sus seguidores de la terrible matanza perpetrada a los armenios ¿a dónde habían ido a parar sus ideales masónicos?

Mehmet Talaat Pasha

Tras la derrota turca de 1918, tuvo que exiliarse siendo asesinado en Berlín por un estudiante armenio deseoso de vengar al genocidio de su pueblo.

Sin embargo, la influencia masónica no se extinguirá en Turquía. El nuevo hombre fuerte en dicho país, Mustafá Kemal era un masón iniciado en una logia italiana de Macedonia. Una vez en el poder, abolió el sultanato e intentó europeizar el país y modernizarlo. Su presidencia, que terminó en 1938 con su muerte. Fue una auténtica dictadura y aunque no alcanzó todo el éxito esperado, no puede negarse que puso al país en el camino para ello. Quizás sea el intento más positivo e incruento llevado a cabo por un dirigente masón para cambiar la anquilosada sociedad que le tocó en suerte vivir.

Gracias a él, en vísperas de la Segunda Guerra Mundial, Turquía se había convertido en una nación homogénea, poderosa y respetada. Su mausoleo en Ankara es en cierto modo, merecido.

Mausoleo de Mustafá Kemal

LA REVOLUCIÓN MEXICANA Y LA MASONERÍA

Si en Sudamérica el papel de la masonería fue importante en la independencia y desarrollo posterior, en México resultaría apabullante. Basta con hojear la historia de la masonería del país para darse cuenta de ello[35].Casi todos, por no decir todos los presidentes de la República, desde el efímero emperador Agustín de Iturbide fueron masones.

A la caída del nuevo emperador Maximilian I en 1867, Benito Juárez que le sucedió (1871-1872) en un tercer mandato presidencial hasta su muerte, había sido iniciado en la masonería en 1827, cuando era estudiante de derecho.

Porfirio Díaz (1830-1915), el fundador del régimen del Porfiriato (1877-1911) con el interregno del general Manuel González (1833-1893), compadre suyo que dirigió a México entre 1880 y 1884, también era masón como lo fue Francisco Madero que se pronunció contra él y ganó las elecciones convocadas en 1911, y los presidentes que siguieron: Álvaro Obregón(1920-1924), Plutarco Elías Calles (1924-1928), Abelardo Rodríguez (1932-1934) y Lázaro Cárdenas (1924-1928) que gobernó paralelamente a la guerra civil española y acogió amistosamente a los exiliados republicanos. Una de las consecuencias fue quizás la denominada guerra cristera.

El detonante fue la Constitución de 1917 que subordinaba la Iglesia católica al Estado, además de otras leyes que la expulsaban de la enseñanza junto con otras confesiones religiosas.

Algunos católicos la consideraron persecutoria y la jerarquía eclesiástica se opuso a su ejecución. Ante el fracaso de estas leyes a fines de 1926, se inició la sublevación cristera, denominada así porque los sublevados llevaban crucifijos en su uniforme y su grito de guerra era el de ¡Viva Cristo Rey!

35 Mateos, J. M. *Historia de la masonería en México hasta 1884*. México. Uroz, A. *Los hombres de. La Revolución*. México, 1969.

La jerarquía católica mexicana, aunque no apoyó explícitamente la rebelión, reconoció la licitud del recurso a las armas. El movimiento se extendió a algunos estados de México (sobre todo, los de Colina Jalisco, Michoacán, etc.) y fue muy sangriento con matanzas, en especial, de sacerdotes y religiosos, mientras el gobierno fue apoyado por las logias.

Las hostilidades duraron hasta mediados de 1929 cuando se firmó una especie de acuerdo para el cese de las mismas, impulsado por la propia Iglesia y la Santa Sede, entre el presidente Portes Gil, sucesor de calles y el arzobispo de Morelia Ruiz. Sin embargo, algunos siguieron luchando, hasta que la muerte del último "general" cristero, Rocha (1936) puso fin a la guerra. Sea como fuere, las leyes continuaron en vigor y el peso de la masonería siguió siendo relevante en la administración, mientras los presidentes seguirían siendo iniciados. El presidente Portes Gil que en 1934 publicó una obra titulada *La lucha entre el poder civil y el clero*, había dicho:

"En México, el Estado y la masonería en los últimos años ha sido una misma cosa: dos entidades que marchan emparejadas, porque los hombres que en los últimos años han estado en el poder han sabido siempre solidarizarse con los principios revolucionarios de la masonería". Discurso del presidente de la República de México, Emilio Portes Gil, tras la firma de los *Arreglos* que pusieron fin (aunque no completamente) a la guerra cristera.

La guerra cristera ciertamente había dado muchos mártires, de entre ellos, cabe destacar, la del muchacho de 14 años José Sánchez del Río que tras su beatificación en 1905, el 22 de enero de 2016, el Papa Francisco lo elevó a los altares como Santo. Su cuerpo descansa en la Iglesia del Sagrado Corazón de Sahuayo (Michoacán).

En 1926, Pío XI en la encíclica *Iniquis Afflictisque* denunció con toda solemnidad aquella guerra y su feroz persecución: "Si en los tiempos primitivos de la iglesia y en otras ocasiones se han emitido atrocidades contra los cristianos, tal vez en ninguna parte y en ningún otro tiempo sucedió que desechados y violados los derechos de Dios y de la Iglesia (...) unos pocos hayan quitado la libertad a la mayoría"[36]. Estos no son los principios de las *Constituciones de Anderson*, ni de la antigua y Gran Logia de Inglaterra.

---

36   Barcena, Alberto: *Iglesia y Masonería. Las dos ciudades*. Ediciones San Román, Madrid 2015.

Capítulo X
España siglo XX hasta 1936

La masonería se alió durante la Semana Trágica de 1909 y la frustrada revolución de 1917 con las fuerzas de la oposición: anarquistas (Ferrer Guardia) socialistas del PSOE (Vidarte, Llopis), republicanos (Lerraux, Martínez Barrio) catalanistas (Companys). Todos coincidían en el objetivo de luchar por la desaparición de una monarquía llena de defectos.

En 1917 murió Miguel Morayta que había desempeñado la gran maestría con gran pundonor. Tras unas direcciones interinas, el cargo recayó en Luis Simarro, catedrático de la Universidad Central de Madrid, quien había fundado en 1913 *La Liga española para la defensa de los Derechos del hombre y del ciudadano*, concibiendo la posibilidad de luchar a favor de la libertad de conciencia, aprovechando una ley del ministro Romanones a favor de la no obligatoriedad del catecismo en las escuelas. Según las pautas de la fundada en Francia, 15 años antes, en sus estatutos se incluyó a modo de preámbulo, la declaración francesa de 1789 de *los Derechos del hombre y del ciudadano*.

Una de las actividades más resonantes de la liga, fue la defensa de Miguel De Unamuno perseguido por supuestos delitos de opinión. La campaña que orquestó a través de la prensa como de los particulares, llevó el cese de hostigamiento al intelectual español.

Salvó de la pena de muerte en Francia a Manuel Menéndez Valdés e intervino en el buen nombre de Ferrer i Guardia en Montjuïc, a raíz de los sucesos de la Semana Trágica de Barcelona de 1909.

Semana Trágica de Barcelona de 1909

Participó en la cadena de la Primera Guerra Mundial en la que la mayoría de "hermanos" acogieron como causa una Alemania tiranizada y carente de libertades. Su pacifismo innato les llevó a aplaudir el triunfo aliado. Sin embargo, admitió que solo un cambio en el ser humano a través de una evolución moral podía garantizar el final de las guerras.

A partir de 1920 se tendió a reformar la constitución de la masonería en sentido autonomista con grandes logias regionales federadas entre sí formando el Gran Oriente Español.

Aunque la llegada de la dictadura de Primo de Rivera en 1923 representó un freno para las actividades de la masonería, la infiltración de está en el ejército, comenzada muchos años antes, fue extraordinaria. Primo de Rivera prohibió la celebración de un congreso masónico en Madrid, pero el general Barrera lo autorizó en Barcelona. Paralelamente las logias distribuidas en Marruecos, alcanzaron un gran apogeo con miembros del Ejército. Por su parte, destacados políticos e intelectuales retornaron a las logias e ingresaron otros nuevos.

La masonería además de inscribirse a la oposición antimonárquica, participó en las conspiraciones contra ella. Un papel destacado tuvo el iniciado Ángel Rizo que organizó en la Armada las denominadas logias flotantes a semejanza de las rusas que habían conseguido el derrocamiento del zar. Fue uno de los impulsores del *Pacto de San Sebastián* de agosto 1930, que significó la creación de un comité conspiratorio oficial destinado a terminar con la monarquía parlamentaria y sustituirla por una república.

Fracasado el golpe de estado del 15 de diciembre de 1930 perpetuado por Fermín Galán "iniciado" y García Hernández, que desde Jaca se adelantó a los conspirados, y el de Cuatro Vientos, en el que intervino Ramón Franco (también masón), la República se proclamó el 14 de abril de 1931, tras unas elecciones municipales en la que en conjunto ganaron los monárquicos, pero no en las grandes ciudades. Alfonso XIII deseando evitar una guerra civil (que se produciría más tarde) decidió marchar al exilio.

Los masones que habían aplaudido ya con alborozo la caída del dictador en 1930 y la llegada de la "dictablanda" de Berenguer, se llenaron de júbilo con la proclamación de la República. La revista *Vida Masónica* saludaba así su llegada:

"*Vida masónica* saluda y felicita efusivamente al gobierno provincial de la República española y hace fervientes votos para que el Gran Arquitecto del Universo lo ilumine en bien a la libertad de la patria. Ya pueden los republicanos españoles levantar su frente y mirar al cielo. Tienen ley que los ampara y patria que los cobija. *Vida masónica* siéntese muy satisfecha ante la magnitud de esta gran obra política que ha elevado a los republicanos españoles de la triste condición de esclavos a la de hombres libres".

Las grandes logias y orientes nacionales extranjeros enviaron muestras de adhesión y felicitación. El Gran Oriente español con sede en Sevilla decidió el 1 de agosto su traslado a Madrid para tener más cerca las tareas de un gobierno provisional copado por iniciados: gran maestro del Grande Oriente español, el ministro de Comunicaciones Diego Martínez Barrio, Marcelino Domingo, ministro de Instrucción Pública y Fernando de los Ríos, ministro de Justicia. En el segundo gobierno provisional del 14 de octubre al 16 de diciembre de 1931 entró además José Giral, ministro de Marina. Se trataba de seis ministros en total, aunque algunas fuentes masónicas elevan el número hasta siete.

La masonería pregonaba con razón su rotundo triunfo: "No es ningún secreto que la francmasonería domina casi en su totalidad el gobierno provisional así como los altos cargos".

La Iglesia española no manifestó la más mínima inquina contra la República, incluso el propio Lerroux, que se había destacado cuando la Semana Trágica por su furibundo anticlericalismo, estando a la cabeza de un partido predominantemente masónico como el Radical e iniciado él mismo, manifestó: "La Iglesia no ha recibido con hostilidad a la República. Su influencia en un país tradicionalmente católico es evidente. Provocarlo a luchar apenas nacido el nuevo régimen, es impolítico e injusto; por consiguiente insensato, y lo sería en cualquier momento".

La actitud de la Iglesia liderada en España por el nuncio, monseñor Tedeschini (el mismo que en 1952 sería legado papal del XXXV Congreso Eucarístico Internacional que se celebraría en Barcelona) fue la de posibilismo a ultranza e incluso después, cuando el 11 de mayo y días sucesivos empezaron a arder conventos en Madrid y otras capitales españolas ante la pasividad de las nuevas autoridades. La Guardia Civil hizo acto de presencia en los jesuitas madrileños, pero no actuó por falta de órdenes (los jesuitas pudieron escapar con grave riesgo, saltando por los tejados).

Miguel Maura, que estaba a cargo del Ministerio de Gobernación como responsable de orden público, no pudo hacer nada por impedírselo al presidente de la República provisional Alcalá Zamora, a Azaña, ministro de la guerra y a otros compañeros, lo que recordaba el 17 de julio de 1834 en Madrid.

Con la excepción de Alejandro Lerroux, ministro del Estado que pertenecía entonces a la Gran Logia española, el resto estaba afiliado al Gran Oriente.

Además se sumaron no menos de 15 directores generales, 5 subsecretarios, 5 embajadores y 21 generales. Entre ellos Rodolfo Llopis, director general de primera enseñanza, Ramón Franco Bahamonde, exdirector general de Aeronáutica, Augusto Barcia, delegado del Gobierno en la banca, Pedro Rico, alcalde de Madrid, Mateo Hernández Barroso, director general de Telégrafos, etc.

Sin embargo, no eran masones, a pesar de lo que algunos han afirmado, Alcalá Zamora, Miguel Maura y Manuel Azaña, iniciado muy a pesar suyo, en 1932 cuando ya era jefe de Gobierno en la Logia Matritense de la calle del Príncipe perteneciente al Grande Oriente Español.

Declaración de principios de la masonería española del 23 al 25 de mayo de 1931 por la Asamblea General de la Gran Logia reunida en Madrid.

- Como principios generales la francmasonería proclama la inviolabilidad del derecho en todas las manifestaciones.

- El derecho a la vida y seguridad de las mismas. El derecho a la libre emisión y difusión del pensamiento. El derecho a la libre expresión de la conciencia y el libre ejercicio de los cultos.

- La escuela única neutra y obligatoria; enseñanzas superiores con cátedra libre y, tanto estas como la primaria, completamente gratuitas; enseñanza de un idioma universal hasta el segundo grado.

- Trabajo obligatorio, controlado por el Estado y repartido a medida de las fuerzas y aptitudes de cada uno, garantizando las necesidades del individuo tanto en su periodo activo como en su vejez.

- La inviolabilidad de domicilio y la correspondencia.

- La justicia gratuita para todos los ciudadanos y en vigor el jurado para toda clase de delitos.

- La libertad de reunión, asociación y manifestaciones pacíficas.

- El gobierno, genuina representación del pueblo, expresada en todos sus grados por medio del sufragio universal.

- El matrimonio civil con ley de divorcio y legitimación de los hijos naturales.

- La separación de la Iglesia y del Estado, expulsión de las órdenes religiosas extranjeras, y sometidas las nacionales a la Ley de Asociaciones.

- La abolición de la pena de muerte y de todas las perpetuas estableciéndose como jurisdicción única la civil para todos los delitos; régimen penitenciario sobre la base de curación y reeducación del individuo.

- Servicio militar voluntario, limitada su actuación a la defensa del país en caso de agresión, hasta que el espíritu pacifista entre todas las naciones lo haga innecesario.

- La transmisión de la propiedad, limitada, en cuanto a la tierra quedada en salvoconducto en manos de los que la cultivan y en cuanto a la urbana, en usufructo a los que la habitan.

- Estado federal, que partiendo del individuo, representado por el municipio, ampliado a la región natural, llegue a la federación de las mismas, formando grupos nacionales, internacionales e intercontinentales, con plena soberanía para todos ellos en la esfera particular de cada una.

- Requerimos a todos los hombres de buena voluntad para que colaboren a nuestra obra creando núcleos masónicos en sus respectivos puntos de residencia.

La declaración finaliza con una nota en la que se ruega la difusión de la misma entre las personas "afectas al ideal del progreso de la humanidad".

El paso siguiente sería colocar el mayor número de miembros de las logias en las listas electorales, a pesar de ser un movimiento que apenas contaba con unos miles de afiliado Incluso se permitió el lujo de situar candidatos de la provi de Madrid (donde había mayor número de afiliados er

provincias, infiltrándose también entre los partidos, tanto de izquierdas, como de derechas, hasta el punto de que marxista revolucionario y PSOE hicieron compatibles su materialismo dialéctico con la creencia en el Gran Arquitecto.

Su intervención en la redacción de la Constitución de 1932 también sería decisiva. A la separación de la Iglesia y el Estado se añadió la disolución de la Compañía de Jesús, la prohibición de que las órdenes religiosas se dedican a la enseñanza y el encasillamiento de la Iglesia Católica en una situación legal, pero negativa. De los 470 diputados que por entonces constituían la cámara parlamentaria (monocameral), cerca de 130 para unas fuentes de la época, y alrededor de 180 para otras, eran iniciados.

Quien más se distinguió durante el periodo 1931-1936 por modificar la educación, así como los niveles de libertad de pensamiento, fue el masón Francisco Giner de los Ríos, figura conspicua del krausismo español, cuyo mayor exponente fue la ya citada Institución Libre de Enseñanza, fundada en 1876 y suprimida en 1936.

Francisco Giner de los Ríos

Aunque la responsabilidad de los masones en el fracaso del denominado bienio republicano-socialista fue grande, no en vano, Fernando de los Ríos tuvo la cartera de Instrucción Pública, Álvaro de Albornoz fue presidente del Tribunal de Garantías Constitucionales, Juan Botella ministro de Justicia, Manuel Portela, Eloy Vaquero, y Rafael Salazar fueron titulares del Ministerio de Gobernación, Lluís Companys presidente de la Generalitat catalana y Gerardo Abad Conde, presidente del Patronato para la incautación de los bienes de los jesuitas, entre otros iniciados, hasta contar con nada menos que 17 ministros, 17 directores generales, 7 subsecretarios, 5 embajadores, y 20 generales, no hay que colgarles a ellos un único "san Benito", sino que hay que añadir la acción violenta de los izquierdas anarquistas y socialistas (Castilblanco, Arnedo, Alto Llobregat, Casas Viejas...) y la dificultad de poner en práctica la ley agraria.

La fundación de la CEDA (Confederación Española de Derechas Autónomas) hizo reaccionar a Azania con la aprobación de la Ley de Orden Público que dotaba el gobierno de una gran capacidad de represión y de poderes excepcionales para limitar la libertad de expresión.

Pero el desgaste gubernamental fue extraordinario y no fue suficiente el apartamiento del poder del moderado Besteiro ni el de Indalecio Prieto y la llegada a la escena política de Largo Caballero, el denominado "Lenin español". El 3 de septiembre de 1933 el gobierno republicano-socialista sufrió una derrota y cinco días después cayó. En las elecciones subsiguientes, las derechas y el centro se llevaron el triunfo. Esta vez solo resultaron elegidos 55 masones.

El 5 de octubre de 1934, horas después de que el nuevo representante de gobierno Lerroux anunciara el poder, una huelga general revolucionaria, convocada por la Alianza Obrera, estaba en toda España. Un día después el presidente de la Generalitat de Catalunya, Lluís Companys, presionado por los sectores más nacionalistas de su partido, proclamaba el Estado catalán, dentro de la República Federal española. Entretanto en Asturias, los obreros ocupaban la cuenca minera y las principales ciudades, proclamando la República obrera y campesina de Asturias. Era a la vez, el ascenso de la revolución y el gran desafío a la derecha.

Su fracaso trajo consigo la siguiente represión, sobre todo en Asturias, en donde se habían conectado toda suerte de desmanes (en Cataluña la sublevación se liquidó en 24 horas).

Cuando se preparaba el alzamiento del PSOE, en el seno del partido se planteó la cuestión de aquellos militares que eran masones. Algunos sostenían que la doble militancia era intolerable, mientras socialistas como Juan Simeón Vidarte, que era masón, la defendían. Este manifestaría al Largo Caballero que "no había desdoro en pertenecer a la masonería, como lo hicieron socialistas tan eminentes como Karl Marx, Engels, Jean Jaurès, Lafargue, Bebel y hasta el propio Lenin".

Largo Caballero recordó cómo los jueces masones habían ayudado a los encausados en el Consejo de Guerra en 1917 y que la masonería era el canal usado por Indalecio Prieto para sumar al ejército la rebelión armada del PSOE.

Vencida la insurrección de octubre, la masonería, nacional como extranjera, fue una gran ayuda para el indulto de los asturianos.

El 15 de febrero de 1935 en la sesión del Congreso, el diputado independiente Cano López, hizo tomar en consideración una proposición encaminada a cortar los progresos que la masonería estaba haciendo a los cuerpos armados. La propuesta fue apoyada entre otros por Pedro Sánchez Rodríguez, Felipe Gil Casares, José Calvo Sotelo, Ramiro de Maeztu, Honorio Maura... La recomendación tras un intenso debate fue aprobada.

Diversos periódicos como *El Liberal de Madrid* o *El popular de Málaga* salieron en defensa de la masonería argumentando que "la masonería era un movimiento del Espíritu dentro del cual tenían cabida todas las tendencias y las condiciones favorables al mejoramiento moral y material del género humano".

También se señalaba que "las logias eran escuelas filosóficas de virtud, ciencia, arte, literatura, de moral universal, esparcidas por toda la superficie terrestre, para evangelizar y perfeccionarse. Enseñan a hablar bien, a investigar la verdad, a fomentar la beneficencia, a conocerse a sí mismo, a fomentar la concordia y fraternal unión universal".

Nunca fueron masones ni Sanjurjo, ni Francisco Franco, ni Mola, ni Queipo de Llano, ni Goded, ni Fanjul ni Ósgar. Sí lo fueron —entre otros— el general Cabanellas (el primer presidente de la Junta Militar de defensa que rescató Zaragoza para las nacionales de 1936). Así como los igualmente generales, López Ochoa (que con Franco sofocó la rebelión de Asturias), Aranda, José Riquelme, Núñez de Prado, Pozas Perea, Gómez Morata, los tenientes coroneles Fernando Redondo, Garrido de Orco, Villanueva, Mangada, Gaspar Morales, Sánchez Plaza y Carratalá.

López Ochoa, trasladado en 1936 a Madrid por las fuerzas leales a la República vencedoras del alzamiento militar, fue asesinado por no perdonarle la represión ejecutada en Asturias. De nada le sirvió ser "iniciado".

Relación de generales masones españoles en 1935:

GENERALES DE DIVISIÓN

D. Eduardo López de Ochoa y Portuondo

D. Miguel Cabanellas Ferrer

D. Agustín Gómez Morata

D. José Riquelme y López Bago

D. Miguel Núñez del Prado y Susbielas

D. José Sánchez-Ocaña y Beltrán

D. Juan García Gómez Caminero

D. José Fernández de Villa-Abrille y Calivara

D. Nicolás Molero Lobo

GENERALES DE BRIGADA

D. Juan Urbano Palma

D. Francisco Llano de la Encomienda

D. José Miaja Menant

D. Manuel de la Cruz Boullosa

D. Sebastián Pozas Perea

D. Toribio Martínez Cabrera

D. Leopoldo Jiménez García

D. Rafael López Gómez

D. Fernando Martínez de Monje

D. Luis Castelló Pantoja

D. Manuel Romerales Quintero

D. Jacinto Fernández Ampón

El triunfo del Frente Popular

El escándalo del "straperlo" (máquinas tragaperras importadas por los holandeses Strauss y Perlo) cuyos beneficios iban a parar al sobrino de Lerroux, así, personalidades gubernamentales, una vez descubierto, fue la gota que colmó el vaso para hacer caer al gobierno de Lerroux, sustituido por Chapaprieta.

Escándalo del Straperlo

El PSOE y el PCE (minoritario) recibieron de Moscú la consigna de la formación de Frentes Populares tendentes a una unificación de acciones. Ese objetivo lo propuso Azaña a la ejecutiva del PSOE el 14 de noviembre. Largo Caballero, el "Lenin español", salió de la cárcel mintiendo en cuanto a su declaración de no haber participado en los sucesos de 1934.

La masonería se dividió, una parte (la mayoría) apoyaba la subida al poder del Frente Popular, la otra pensó que con ello se produciría la liquidación del sistema y de una manera vacilante decidió ponerse en contra.

Portela Valladares, encargado de formar el nuevo gobierno y poco después, Alcalá Zamora, disolvió las Cortes (lo que provocaría su destitución al ser la segunda vez que lo realizaba, cosas que la Constitución penalizaba con su marcha).

En enero de 1936 se firmó el *Pacto del Frente Popular* con fuerzas incompatibles como obreros y burgueses y con objetivos distintos, los unos terminar con la república burguesa de 1931, los otros volver a su situación. El ala radical de los primeros aspiraba a establecer la dictadura del proletariado. El clima de una próxima guerra civil se hizo cada vez más patente.

Las elecciones de febrero de 1936 mostraron una ligerísima ventaja para las derechas y con un centro desquiciado. Se habló de fraude electoral de la izquierda y de irregularidades en muchas provincias. El Frente Popular consiguió solamente algo más de 200 actas de diputados, sobre un total de 473, minoría importante, pero no absoluta.

El Frente Popular sin esperar el recuento final pidió desde la calle, con los desórdenes correspondientes, el poder.

Algunos gobernadores civiles dimitieron. Lluís Companys salió del penal del Puerto de Santa María y fue recibido en triunfo al frente de la Generalitat. Los reaccionarios vascos se pusieron de lado del frente y los detenidos por la insurrección de Asturias eran puestos en libertad. El 7 de abril tras la obtención del poder por el Frente Popular, Alcalá Zamora fue sustituido por Manuel Azaña como presidente de la República tras la constitución definitiva del nuevo Parlamento. El traspaso del poder de Portela Valladares a Azaña (primero como jefe de Gobierno) fue significativo como lo comentó en sus memorias Juan Simeón Vidarte, un masón arrepentido (*Todos fuimos culpables*, Grijalbo Barcelona 1978) de un diálogo que tuvo con el general Núñez del Prado:

"A mí personalmente, me parece bien el gobierno. Hay en él siete hermanos masones y todos de un republicanismo acrisolado. Sí, el gobierno parece haber nacido bajo nuestros auspicios. La otra tarde, al encontrarnos el general Pozas y yo en el Ministerio de la Gobernación, citados por Portela, para que asistiremos a la toma de posesión de Azaña, en unión de Martínez Barrio, parecía una ceremonia masónica. El gran maestro de la Gran Logia da posesión a su sucesor, delante del Gran Oriente español y en presencia de dos generales masones".

En junio de 1936 se desencadenó una huelga general de la construcción en Madrid convocada por la anarquista C.N.T con el objetivo del triunfo sobre la U.G.T socialista. Poco después, Mola advertía la intervención del ejército para salvar el orden republicano. Reunidas las Cortes el 16 de junio, Gil Robles denunciaba la pavorosa situación y Calvo Sotelo las abandonó, con una amenaza de muerte que no tardaría en consumarse. El general Franco, todavía vacilante, en cuanto a la posición a seguir, envió una carta al galleguista Casares Quiroga, jefe de Gobierno, advirtiéndole de la tragedia que iba a desencadenarse, urgiéndole que actuara. El 11 de julio de 1936, Franco volaba de Canarias a Marruecos en el Dragón Rapide y al día siguiente, el asesinato del teniente de la Guardia de Asalto, José Del Castillo, instructor de las juventudes rojas en la lucha revolucionaria y callejera, muy vinculado al PSOE por un grupo derechista (¿ordenado por la Falange?) sucedió el José Calvo Sotelo, político monárquico, y aunque se ha querido involucrar el uno con el otro, la muerte del derechista estaba ya anunciada de antemano, más cuando Casares Quiroga desde la tribuna de las Cortes le espetara: "Si algo pudiera ocurrir, su señoría será el responsable con toda responsabilidad".

La versión oficial sería la de una muerte por la otra, pero el que dirigió la de Calvo Sotelo no tenía nada que ver con el teniente Castillo, con su compañía, ni en la guardia de asalto. Ambas fueron producto del clima tenso que se vivía en la España de 1936, que indefectiblemente desembocó en la Guerra Civil. Como escribiría con dramáticos acentos una de las personalidades que más ha sentido el problema de España, Antonio Machado:

"Españolito que vienes al mundo
te guarde Dios. Una de las dos
Españas ha de helarte el corazón".

El incansable Pío XI había denunciado ya en 1933 en la encíclica *Dilectíssima Nobis* los atropellos que sufrió la Iglesia española en la primera fase republicana. El problema era que "aquellos" no habían hecho más que empezar...sin embargo, no todo es achacable ni mucho menos aquel tipo de masonería...Otra cosa es que lo consintieron. Insistimos, eso no tiene nada que ver con los principios filantrópicos de la hermandad.

Lista alfabética de diputados nacionales en las cortes constituyentes españolas de 1931, según César Vidal[37]:

Abad Conde, Gerardo. Lugo.

Alba Bonifaz, Santiago. Zamora.

Albert Pey, Salvador. Gerona.

Albornoz Liminiana, Álvaro de. Oviedo.

Alcázar González Zamorano, Manuel. Albacete.

Almagro Gracia, Aurelio. Cuenca.

Álvarez Angulo, Tomás. Jaén.

Álvarez González, Melquíades. Valencia.

Aragay i Davi, Amadeo. Barcelona.

** Aramburu Inda, Francisco. Cádiz.

** Aranda Fernández Caballero, Fermín. Cádiz.

** Araquistáin Quevedo, Luis. Vizcaya.

Arauz Pallardó, Eugenio. Madrid.

Armasa Briales, Pedro. Málaga.

Artigas Arpón, Benito. Soria.

* Azaña Díaz, Manuel. Valencia.

Azorín Izquierdo, Francisco. Córdoba.

** Azpiazu y Artazu, Ubaldo. Lugo.

** Balbontín Gutierrez, José Antonio. Sevilla.

* Ballester Gozalvo, José. Toledo.

Banzo Urrea, Sebastián. Zaragoza.

Bargalló Ardevol, Miguel. Guadalajara.

Barriobero y Herrán, Eduardo. Oviedo.

Beade Méndez, Ramón. Coruña.

Bello Trompeta, Luis. Madrid.

* Berenguer Cros, José. Tarragona.

---

37   Vidal, César: *Los masones. La sociedad secreta más influyente de la historia*. Editorial Planeta, Barcelona, 2005.

* Blasco-Ibáñez, Sigfrido. Valencia.
Botella Asensi, Juan. Alicante.
Calot Sanz, Juan. Valencia.
Cámara Cendoya, Miguel de. Alicante.
** Campalans i Puig, Rafael. Barcelona.
** Campoamor Rodríguez, Clara. Madrid.
** Canales González, Antonio. Cáceres.
Cano Coloma, José. Valencia.
Cardona Serra, José. Murcia.
Carreras Pons, Ramón. Córdoba.
Carreras Reura, Francisco. Baleares.
Casares Quiroga, Santiago. Coruña.
Casas Jiménez, Hermenegildo. Sevilla.
Castro Bonell, Honorato de. Zaragoza.
Castrovido Sanz, Roberto. Madrid.
Coca González Saavedra, Fernando. Albacete.
*** Company Jiménez, Juan. Almería.
Companys i Jover, Luis. Barcelona.
Cordero Bel, Luis. Huelva.
Crespo Romero, Ricardo. Sevilla.
*** Cuesta y Cobo de la Torre, Ramón. Burgos.
Chacón de la Mata, Adolfo. Cádiz.
De Francisco Jiménez, Enrique. Guipúzcoa.
Dencàs i Puigdollers, José. Barcelona.
Díaz Fernández, José. Oviedo.
Domingo Martínez, Andrés. Jaén.
Domingo Sanjuán, Marcelino. Tarragona.
Domínguez Barbero, José. Sevilla.
Esplá Rizo, Carlos. Alicante.
Fabra Ribas, Antonio. Albacete.
** Fernández Clérigo, Luis. Madrid.

** Fernández de la Poza, Herminio. León.

Fernández Egocheaga, Eladio. Sevilla.

Ferrer Domingo, Benigno. Almería.

Franco Bahamonde, Ramón. Barcelona.

** Franchy Roca, José. Las Palmas.

Galarza Gago, Angel. Zamora.

** García Berlanga Pardo, José. Valencia.

García Hidalgo Villanueva, Joaquín. Córdoba.

García Prieto, Antonio. Málaga.

Gasset Lacasaña, Fernando. Castellón.

Giral Pereira, José. Cáceres.

Gomáriz Latorre, Jerónimo. Alicante.

Gómez Sánchez, Pedro Vicente. Ciudad Real.

González López, Emilio. La Coruña.

González Sicilia, Ramón. Sevilla.

Granados Ruiz, Miguel. Almería.

Guerra del Río, Rafael. Las Palmas.

** Gusano Rodríguez, César. Palencia.

** Hernández Rizo, Vicente. Córdoba.

Iglesias Ambrosio, Emiliano. Pontevedra.

Iranzo Enguita, Vicente. Teruel.

Jaén Morente, Antonio. Córdoba.

Jiménez de Asúa, Luis. Granada.

Jiménez Jiménez, Antonio. Barcelona.

***Julià i Perelló, Francisco. Baleares.

Just Gimeno, Julio. Valencia.

** Kent Siano, Victoria. Madrid.

** Largo Caballero, Francisco. Madrid.

Layret Foix, Eduardo. Barcelona.

Lerroux García, Alejandro. Madrid.

** López-Dóriga Meseguer, Luis. Granada.

López Orozco, Julio María. Alicante.

López Varela, José. Pontevedra.

Lozano Ruiz, Juan. Jaén.

Llopis Ferrándiz, Rodolfo. Alicante.

** Madariaga Rojo, Salvador. La Coruña.

* Manteca Roger, José. Valencia.

Marcial Dorado, José. Sevilla.

Marco Miranda, Vicente. Valencia.

* Marcos Escudero, Agustín. Huelva

*** Marial Mundet, Melchor. Madrid.

Martín González del Arco, Marcelino. Guadalajara.

Martínez Barrio, Diego. Sevilla.

Martínez Gil (D. Lucio. Jaén.

*Martínez Jiménez, José María. Málaga.

Martínez Torner, Florentino. Huelva.

Menéndez Fernández, Teodomiro. Oviedo.

Menéndez Suárez, Ángel. Oviedo.

** Mirasol Ruiz, Esteban. Albacete.

Molpeceres Ramos, Pedro. Cádiz.

Moreno Galvache, José. Murcia.

* Moreno Mateo, Mariano. Sevilla.

Moreno Mendoza, Manuel. Cádiz.

Morón Díaz, Gabriel. Córdoba.

* Muiño, Manuel. Badajoz.

Muñoz Martínez, Manuel. Cádiz.

* Navarro Vives, Ramón. Cartagena.

** Negrín López, Juan. Las Palmas.

*** Nelken Mansbergen, Margarita. Badajoz.

** Nicolau d'Olwer, Luis. Barcelona.

Nistal Martínez, Alfredo. León.

Oarrichema Genaro, César. Alicante.

Olmedo Serrano, Manuel. Sevilla.

Ortega y Gasset, Eduardo. Ciudad Real.

Palacín Soldevilla, Ricardo. Lérida.

Palanco Romero, José. Granada.

Palomo Aguado, Emilio. Toledo.

Pascual-Leone, Álvaro. Castellón.

Peñalba Alonso de Ojeda, Matías. Palencia.

Pérez de Ayala, Ramón. Oviedo.

Pérez Díaz, Alonso. Santa Cruz de Tenerife.

Pérez Madrigal, Joaquín. Ciudad Real.

Pérez Torreblanca, Antonio. Alicante.

Pérez Trujillo, Domingo. Santa Cruz de Tenerife.

Piqueras Muñoz, José. Jaén.

Pittaluga Fattorini, Gustavo. Badajoz.

Portela Valladares, Manuel. Lugo.

Poza Juncal, Joaquín. Pontevedra.

* Prieto Jiménez, Luis. Murcia.

*** Puig d'Asprer, José. Gerona.

Martínez, César. Alicante.

** Ramos y Ramos, Enrique. Málaga.

* Rey Mora, Fernando. Huelva.

Rica Avello, Manuel. Oviedo.

Rico López, Pedro. Madrid.

Ríos Urruti, Fernando de los. Granada.

Rivera Ruiz, Miguel. Murcia.

Rizo Bayona, Ángel. Cartagena.

** Rodríguez Cadarso, Alejandro. La Coruña.

Rodríguez de Vera, Romualdo. Alicante.

Roma Rubies, Antonio. Cádiz.

Royo Gómez, José. Castellón.

** Ruiz del Río, Jesús. Logroño.

Ruiz del Toro, José. Murcia.

** Ruiz-Funes García, Mariano. Murcia.

Sabrás Gurrea, Amós. Logroño.

Salazar Alonso, Rafael. Badajoz.

Salmerón García, José. Badajoz.

Samblancat y Salanova, Ángel. Barcelona.

Samper Ibáñez, Ricardo. Valencia.

** San Andrés Castro, Miguel. Valencia.

Santander Carrasco, Juan Antonio. Cádiz.

* Sarmiento González, Ángel. Oviedo.

Sarriá Simón, Venancio. Zaragoza.

Saval Moris, Francisco. Málaga.

Sbert i Massanet, Antonio María. Barcelona.

Sediles Moreno, Salvador. Barcelona.

** Serrano Batanero, José. Guadalajara.

Simó Bofarull, Jaime. Tarragona.

** Solá y Ramos, Emilio de. Cádiz.

Terrero Sánchez, José. Huelva.

Torres Campaña, Manuel. Madrid.

Tuñón de Lara, Antonio. Almería.

Ulled i Altemir, Rafael. Huesca.

* Usabiaga Lasquivar, Juan. Guipúzcoa.

Valera Aparicio, Fernando. Valencia.

Vaquero Cantillo, Eloy. Córdoba.

Vargas Guerendiain, Pedro. Valencia.

Vázquez Lemus, Narciso. Badajoz.

*** Vázquez Torres, Narciso. Badajoz.

Vega Barrera, Rafael. Lugo.

Ventosa Roig, Juan. Barcelona.

Vergara Castrillón, Isidoro. Valladolid.

Vidarte Franco, Juan Simeón. Badajoz.

** Villa Gutiérrez, Antonio de la. Cáceres.

Villarías López, Gregorio. Santander.

Viñas Arcos, Rodolfo. Albacete.

*** Zulueta Escolano, Luis de. Badajoz.

Fuente: Archivo de Servicios documentales Salamanca. Fichero.

*Con un asterisco figuran los personajes que en abril de 1931 no se habían iniciado todavía y lo harían después.

** Con dos los personajes de los cuales no hay documentación de su iniciación, pero fueron considerados como masones.

*** Con tres, los masones con documentación atestiguada.

Capítulo XI
La Guerra Civil y la masonería.
El franquismo

Al iniciarse la guerra civil, los masones se dividieron en dos, los que apoyaban al Frente Popular y los que se pusieron del lado de los sublevados a la vista del cariz revolucionario de este. Sea como fuere, la masonería fue golpeada por ambos bandos.

En la zona controlada por el Frente Popular murieron 32 militares masones, seis de ellos fusilados y 26 por diversas causas incluida la represión. En la zona nacional hubo 36 bajas, hasta 1942 los fusilados fueron 73 y los perdonados que continuaron en activo en las Fuerzas Armadas 27. La idea que tenemos antimasónica de Franco es incontable, pero parece que dejó un resquicio para el que se arrepintiera.[38]

Miembros de la masonería intervinieron en los tristemente célebres tribunales del Frente Popular, seguidos del "paseíllo" y fusilamiento sin apelación. El marxismo "factótum" de ellos fue Manuel Muñoz Martínez, director general de Seguridad y masón. A él se le achaca junto al comunista Santiago Carrillo, la responsabilidad de los fusilamientos en masa de Paracuellos de Jarama en noviembre de 1936. En 1935,el general Franco a la sazón jefe del Estado Mayor, promovió el cese de 6 de sus generales acusados de ser sospechosos de pertenecer a la hermandad. Entre ellos se encontraba el director de la Escuela Superior de Guerra.

---

38   *Militares masones en España, diccionario biográfico del siglo XX* a cargo De Paz Sánchez. Valencia, 2004.

Tras el levantamiento del 18 de julio de 1936, la represión franquista contra la masonería no se detendría. Los primeros fusilados cayeron en Ceuta, Melilla y Tetuán en los últimos días del mes de julio. El solo hecho de ser acusado de masón ya llevaba implícita su sentencia de muerte, aunque no fuera cierto. Al finalizar 1936, cerca de cinco mil personas habían perecido en el campo de batalla o ante un pelotón de ejecución acusadas en verdad o sospecha de pertenecer a las logias. En 1939 los expedientes abiertos por dicha causa llegaron a ser ochenta mil.

El primer decreto contra la masonería fue aprobado ya el 15 de septiembre de 1936 y fue firmado por Franco desde Santa Cruz de Tenerife. En él queda declarada la masonería fuera de la ley, siendo confiscados todos sus bienes. El 21 de diciembre de 1938, Franco decretó que todas las inscripciones o símbolos de carácter masónicos fueran destruidos y quitados de todos los cementerios de la zona nacional en un plazo no superior a 2 meses. Algunas publicaciones franquistas ratificaron las órdenes del caudillo, espoleando a acabar con los masones por ser "astutos y sanguinarios".

Francisco Franco

Órdenes que fueron cumplidas con celeridad y rajatabla. Centenares de individuos fueron fusilados sin juicio previo solo por el mero hecho de ser declarados sospechosos. La masonería desde la zona todavía republicana había intentado defenderse. A tal fin, el 6 de julio de 1938 había publicada en *La Vanguardia* de Barcelona una declaración de principios en las que recordaba que los fundamentos de la Orden francmasónica y su razón de ser eran la fraternidad, la justicia, la libertad, la tolerancia, la igualdad de derechos y la abolición de todo privilegio y la paz entre los hombres y todos los pueblos. Entre los medios propugnados para la defensa de estos principios, señalaba precisamente la lealtad y la obediencia al poder constituido legalmente, así como la libertad de conciencia y la liberación del individuo, manifestándose enemigos de toda violencia y de toda la explotación del hombre por el hombre.

Al igual que para Franco, los comunistas rusos también consideran a los ratones como gentes de no fiar.

Stalin envió agentes de España durante la Guerra Civil para fiscalizar todo lo que estaba ocurriendo en el país, uno de ellos fue Stoyán Minéyevich, más conocido como Stepánov y Moreno. En el informe enviado al director soviético achacaba, entre otras cosas, la intervención de los masones como causa de la derrota del Frente Popular por culpa de ser como en los demás países, un movimiento liberal burgués en gran parte intelectual, que pretende mediatizar a la clase obrera, para que participe en la lucha política democrática, pero siempre bajo la dirección de los partidos burgueses y privar a la clase obrera de actuaciones por su cuenta.

Stepánov atribuía equivocadamente un papel a los masones españoles en la lucha contra Napoleón. En abril de

1931 había contribuido la llegada de la República y con el alzamiento de julio de 1936, el Ejército Popular se llenó de oficiales masones que controlaron junto con otros miembros civiles destacados el apartado del Estado, y la derrota de 1939 se había producido porque la Junta del coronel Casado estaba llena de ellos.

Azaña presidente de la República también lo era así como todo su equipo de gobierno. Martínez Barrio, presidente de las Cortes, también lo era. Los masones copan la dirección de los partidos republicanos de izquierdas, así como la C.N.T. y la prensa, el Ministerio del Interior, Policía y Fuerzas guardadores del orden. Controla el apartado de otros ministerios.

Quizás la visión sea exagerada, pero lo cierto es que incluso en el PCE (Partido Comunista Español) había un buen número de "hermanos" por creer que ese partido era el que mejor regulaba la unificación de las fuerzas populares. En los primeros meses de la guerra, ingresaron en el PSE cinco o seis mil oficiales de los cuales el 90% eran masones.

En principio los agentes de Stalin consideraron la medida favorable, pero a partir de julio de 1937 se dieron cuenta de que los masones actuaban por su cuenta y que su lealtad era para las logias. En los últimos tiempos de la guerra se habían dado cuenta de que no podían derrotar a Franco y en vez de "luchar hasta morir" como pretendía el PCE habían solicitado la mediación de gobiernos extranjeros para pactar con el vencedor. Stepánov era todo lo contrario a la ideología franquista, pero su repulsa a la masonería, coincidía en muchos puntos.

Sea como fuere, lo cierto es que el bando que se libró de ella en el seno del Ejército es el que triunfó en la contienda civil.

EL FRANQUISMO

Al terminar la guerra y constituido el nuevo gobierno, la primera ley dictada contra los masones se dio el 9 de febrero de 1939. A través de la Ley de Responsabilidades Políticas.

Los partidos y sociedades, incluida la masonería, eran considerados contrarios al régimen por lo que quedaban "fuera de la ley" y automáticamente eran excluidos y perseguidos.

Franco intentó acrecentar el castigo masónico ideando la posibilidad de que cualquiera que hubiese sido masón en el pasado pudiera ser pasado por las armas.

Algunos profesores franquistas se opusieron, como Pedro Sainz Rodríguez, a la sazón ministro de Instrucción Política y el ministro de Justicia, conde de Rodezno, también el entonces nuncio de la Santa Sede cardenal Cicognani, enfrentó al proyecto franquista.

A pesar de este contratiempo, Franco pudo aprobar el 1º de marzo de 1940 la Ley para la represión de la masonería y comunismo y demás sociedades clandestinas que siembran ideas disolventes contra la religión, la patria y las instituciones fundamentales contra la armonía social.

Estas tenían algunas diferencias notables con otras aprobadas por Alemania e Italia. Para Franco los masones habían sido la causa de la pérdida de las colonias, de la invasión napoleónica del 98, de las guerras civiles y de la caída de Alfonso XIII.

Por primera vez, se ponía en un mismo molde a masones y comunistas, clasificación absurda puesto que la procedencia social es bien distinta.

Sin embargo, al igual que Hitler y Mussolini se les velaba cualquier cargo político, castigada con la cárcel y la incautación de bienes.

Se establecía desde 20 a 30 años de prisión para los grados superiores y de 12 a 20 para los cooperadores, y hasta imposibilitaba para cualquier cargo a quienes tuvieran algún familiar hasta el segundo grado de consanguinidad o afinidad con algún masón o que hubiera estado vinculado de alguna forma a la masonería.

El hermano de Franco Ramón, había sido masón iniciado en una logia de París llamada "Plus Ultra" (¿tendría algo que ver con el nombre de avión con el que había llegado a América del Sur en 1929?). Había muerto durante la guerra…, según algunos el propio padre del caudillo y su otro hermano Nicolás habían mantenido relaciones de algún tipo con la masonería. Pero ya sabemos, toda regla general tiene su excepción, más tratándose de quien la había dictado. La obsesión de Franco por la masonería continúa con la ayuda de su gran colaborador Carrero Blanco. Juntos impulsaron una serie de artículos en el diario *Arriba* donde firmaron con el seudónimo de Broot en los que explicaban cómo España se había hundido como consecuencia de las acciones de la masonería. Muchos historiadores se han preguntado el porqué de tan profunda animadversión y han llegado a contestar que Franco achacaba su postergación en la carrera militar durante la República a la masonería y otros como Ferrer Benimeli consideran que es porque las logias le negaron su ingreso en repetidas ocasiones.

La única excepción dentro de la legislación antimasónica fue el referente a las bases americanas establecidas en España con las que se permitían el establecimiento de logias masónicas dedicadas exclusivamente al personal militar.

La masonería española encontraría un buen refugio en México, tanto en su versión del Gran Oriente, como el del Supremo Consejo español de Grado 33, de ellas fueron sus líderes Enrique Barea, Demófilo de Buen, Diego Martínez Barrio e Isidro Sánchez.

La extensión de las actividades masónicas españolas se desarrolló también en Uruguay, Argelia o Marruecos, incluso en Francia desde 1945. En el Gran Oriente del Brasil fue fundada una logia por exiliados españoles con el nombre de Renacer Ibérico.

Con el paso de los años, muchas logias pasaron de nuevo a desprenderse del Gran Oriente de España, reorganizado en el exilio. Lo mismo aconteció con las logias tan famosas como *Iberia o España* que dejaron la órbita del Gran Oriente de Francia y de la Gran Logia de Francia. La persecución de la masonería por el franquismo hasta la muerte del dictador en 1975, fue mucho más agresiva que la de Hitler o Mussolini (no persiguió tampoco a los judíos), lo cierto es que los únicos regímenes que decidieron acabar con las logias fueron el comunismo y el franquismo. En la posguerra no faltaron los casos de logias alemanas que abrieron sus puertas como refugio a antiguos nazis, los masones que habían ido a parar a los campos de concentración anteriormente, fueron un número mucho menor que los que fueron a parar a posteriores *gulags*, a las cárceles españolas o mucho peor...

Manuel Azaña dijo lo siguiente: "Paz, piedad y perdón (18 de julio de 1938) [...] Aún queda la consideración más importante. Nunca ha sabido nadie ni ha podido predecir nadie lo que puede dar de sí una guerra, que comenzará siempre con estos o aquellos fines o con tales o cuales propósitos, pero ninguna guerra consiguió vaticinar, desde el primer día, cuál había de ser su repercusión social y política. Las guerras no son solo batallas. Es el signo de dos estados de ánimo que luchan uno contra el otro, y la violencia de cuyo choque nadie puede calcular. Muchas guerras que se hicieron con un fin religioso o imperialista dieron luego un resultado completamente contrario. Es la moral de un país que nadie puede constreñir. Después de un terremoto a nadie le es posible distinguir o reconstruir el perfil anterior del terreno. Este fenómeno que se da en la tierra me impide a mí hablar del porvenir de España en el orden político y en el orden moral, cuando los españoles se pongan a considerar lo que han hecho durante la Guerra. De esta colección de males, saldrá algo bueno. No tengo el optimismo de un Pangloss (personaje ingenuo del Cándido de Voltaire). No es verdad que no hay mal que por bien no venga, pero del dolor sufrido procuraremos sacar, como es lógico, el mejor bien posible. Pero cuando los años pasen, las generaciones vengan y la antorcha pase a otras manos, y se vuelvan a enfrentar las pasiones de unos y de otros, pensad en los muertos que reposan en la Madre Tierra, ya sin ideal, y que nos envían destellos de su luz, de la que la Patria daba a todos sus hijos: paz, piedad y perdón".

Manuel Azaña Díaz (1880-1940) había nacido en Alcalá de Henares (Madrid). En el gobierno provisional del 14 de abril de 1931 comenzó la carrera de guerra siendo entonces iniciado sin mucha convicción. Presidio cuatro equipos ministeriales. Los Cortes le nombraron segundo presidente de la Segunda República española, el 10 de mayo de 1936. Previendo el resultado de la guerra civil, redactó este dramático fragmento abogando por una paz generosa entre españoles. De pluma fácil, escribió *La velada de Benicarló* en 1937, obra de teatro que no pudo estrenarse hasta 1980 en una sesión del Centro Dramático Nacional. Marcadamente autobiográfica, reflexiona sobre las causas que han llevado al desastre de la guerra y la sensación de soledad de un presidente, a quienes las oleadas frente populistas habían convertido el cargo en un mero símbolo.

Dimitió de la presidencia en el exilio francés el 27 de febrero de 1939. Falleció en Montauban (Francia) el 4 de noviembre de 1940, reconciliado con la Iglesia católica.

Ley de 1 de marzo de 1940 sobre represión de la masonería y el comunismo.

Jefatura del Estado

Acaso ningún factor, entre los muchos que han contribuido a la decadencia de España, influyó tan perniciosamente en la misma y frustró con tanta frecuencia las saludables reacciones populares y el heroísmo de nuestras Armas, como las sociedades secretas de todo orden y las fuerzas internacionales de índole clandestino. Entre las primeras, ocupa el puesto principal la masonería, y entre las que, sin constituir una sociedad secreta propiamente, se relacionan con la masonería y adoptan sus métodos al margen de la vida social, figuran las múltiples organizaciones subversivas en su mayor parte asimiladas y unificadas por el comunismo.

En la pérdida del imperio colonial español, en la cruenta guerra de la Independencia, en las guerras civiles que asolaron a España durante el pasado siglo, y en las perturbaciones que aceleraron la caída de la monarquía constitucional y minaron la etapa de la dictadura, así como en los numerosos crímenes de Estado se descubre siempre la acción conjunta de la masonería y de las fuerzas anarquizantes movidas a su vez por ocultos resortes internacionales.

Estos graves daños inferidos a la grandeza y bienestar de la Patria se agudizan durante el postrer decenio y culminan en la terrible campaña atea, materialista, antimilitarista y antiespañola que se propuso hacer de nuestra España satélite y esclava de la criminal tiranía soviética. Al levantarse en armas el pueblo español contra aquella tiranía, no cejan la masonería y el comunismo en su esfuerzo. Proporcionan armas, simpatías y medios económicos a los opresores de la Patria, difunden, so capa de falso humanitarismo, las más atroces calumnias contra la verdadera España, callan y escuchan los crímenes perpetrados por los rojos, cuando no son cómplices en su ejecución y, valiéndose de toda suerte de ardides y propagandas, demoraron nuestra victoria final y prolongaron el cautiverio de nuestros compatriotas. Son muy escasas y de reducido alcance las órdenes y disposiciones legales adecuadas para castigar y vencer estas maquinaciones.

Capitulo XII
1975 y ...

España

El 15 de marzo de 1975 salió a la luz un manifiesto del Supremo Consejo del Grado 33 para España y el Grande Oriente español desde México en el que la Masonería se autodefinía como "una asociación de ciudadanos libres que defienden los ideales de justicia, de paz y fraternidad entre todos los hombres" pocos meses después, falleció en Madrid el dictador y las expectativas de regreso comenzaron a cobrar cuerpo.

Un año después, en el Gran Oriente español, Jaime Fernández Gil inició los trámites para su regreso a España declarando su adhesión a la nueva monarquía.

El Consejo de Europa con sede en Estrasburgo puso énfasis decidido en la colaboración, también lo hizo la propia Iglesia aunque entre algunos de sus miembros no lo veían muy claro. Todavía 9 de marzo de 1977 en un desaparecido periódico de Zaragoza se podía leer sobre temas tan triviales como la moda:

"La moda en manos de masones y del judaísmo internacional es vilipendiada porque es ella la que organiza y sostiene la revolución proletaria al mismo tiempo que inspira toda la doctrina marxista".

Resultaba muy difícil cortar de golpe y porrazo con la tradición anterior. El "contubernio judeo-masónico", aliados con los comunistas continuaba vigente.

Sin embargo, mucho se había logrado desde la celebración del Concilio Vaticano II (1962-1965) así como la autorización del Santo Oficio para que los católicos pudieran ser masones, la prohibición y excomunión tantos años esgrimida, parecía que había pasado a mejor vida. Lejos quedaban las palabras de Pío XII que el 24 de junio de 1958 (festividad de San Juan, tan cara a la masonería) había señalado como "raíces de la apostasía moderna, el ateísmo científico, el materialismo dialéctico, el racionalismo, el laicismo y la masonería, madre común de todas ellas".

Sin embargo, las dimensiones sobre cómo seguir el proceso de vuelta a la normalidad, afloraron. Fernández Gil fue acusado de alejarse de las directrices de la obediencia francesa que había acogido la mayoría de logias en el exilio.

La intervención de la Gran Logia de Inglaterra que tachó a todas de irregulares, atizó más el fuego. La ruptura fue un hecho y se creó un nuevo *Gran* Oriente español bajo la dirección de Francisco Espinar Lafuente apoyado e impulsado por México. El 21 de noviembre de 1979 las dos asociaciones con el marchamo de culturales fueron reconocidas por las autoridades españolas y registradas como tales por el Ministerio del Interior.

Durante la década de 1980, las sociedades masónicas proliferaron sobresaliendo la Gran Logia Simbólica de España (GLSE) que reunió varias logias catalanas de carácter liberal con la novedad de constituirse en logia mixta. No iba a ser la única. en los años 90 se creó la Gran Logia femenina de España junto con las otras del mismo sexo dependientes de órdenes francesas. La influencia de Francia no ha dejado de ser de primer orden. En el año 2000 se inauguró una de Rito *Misraim* dependiente de la *Gran Logia Simbólica en*

Francia. Gracias en parte a la recuperación de las libertades por la Constitución de 1978 y la legislación democrática posterior, la masonería española se ha puesto *à la page* con las del resto del mundo, si bien el número de asociados no era, ni es, muy numeroso.

La llegada de los socialistas al gobierno con Felipe González dio un nuevo impulso a la masonería española. José Federico de Carvajal iniciado, que había hecho una limpieza en el PSOE, sería presidente del Senado. Otros serían José Prat, un "histórico" y Carmen García Bloise, enlace con el Partido Socialista Francés, pero había otros masones: Joan Raventós, Enric Sopena, Gregorio Peces Barba (padre), Gaspar Zarrías… y un ministro mason: Jerónimo Saavedra de Canarias.

Tal como confesó a la revista *Tiempo* Javier Otaola, abogado, escritor, filósofo y síndico del ciudadano de Euskadi en Vitoria, maestro masón: "La masonería española no tiene ningún poder ni busca lo que se entiende por poder". (Había sido exmaestro de la Gran Logia).En la actualidad los masones españoles rondan los 4000, cifra muy lejana de los 250000 franceses con algunos ministros en su haber y muchos en los EE. UU. con más de cinco millones y 15 presidentes, y la de Inglaterra con más de 700000 y la vinculación de la Orden de la Casa Real. México más de medio millón, Noruega 16000 y Portugal 20000.

Aunque el crecimiento español haya sido espectacular en los últimos años, repartidos en dos centenares de logias que a su vez se agrupan en 13 obediencias o Grandes Logias distintas, algunas muy pequeñas.

El miedo de la época franquista está quedando atrás, pero cuesta mucho desprenderse de él y de cara al gran público prefieren escudarse todavía en el secretismo. Según opinión de José Carretero: "los masones españoles, más divididos que nunca, son un grupo de personas que se llaman hermanos entre sí y se reúnen para lograr su perfeccionamiento personal y la mejora de la sociedad". Sin embargo, diferentes obediencias están enfrentadas entre sí. Todas apelan a su papel fundamental actual: el ético.

Sea como fuere, según el propio Carretero, la libertad de opción de afiliación ha enriquecido la afiliación, contribuyendo a ella la realización del procedimiento por "Internet". El escalón de edad que más ha aumentado ha sido entre los 31 y 40 años.

FRANCIA Y MISTERIOS SIN RESOLVER

El papel de la masonería fue relevante con los socialistas en el gobierno. El 31 de agosto de 1987 el entonces presidente François Mitterrand (1981-1995) y un séquito de ministros, además de Pierre Mauroy, antiguo primer ministro (1981-1984) organizaron el solemne entierro de Roger Fajardie, miembro del Consejo de la Orden del Gran Oriente que había sido diputado de la UE y al parecer el auténtico cerebro del gobierno socialista.

Poco antes, Jacques Chirac, en ese entonces alcalde de París, había hecho lo propio con otro masón: Michael Baroin, en la iglesia de San Francisco de Sales de la capital. Baroin era un alto empresario y escritor, dirigente de la FNAC (*Federation National d'Achats de Codres*), algo así como compras de mercancía de los ejecutivos, fundada en 1954. Negociador de bosques del Gabón que contenían uranio, su avión hizo escala en el Congo ex-francés (Brazzaville) cuando iba a entrevistarse con el presidente de Gabón (Gran Maestro de su país). Reanudado el vuelo, explotó misteriosamente. Dejó escrita una obra solidaria bajo el título *La fuerza del amor*. Su hija Victoria tuvo también un accidente y murió atropellada por un conductor borracho el mismo día que tuvo lugar el accidente nuclear de Chernóbil (Ucrania), el 26 de abril de 1996. ¿Coincidencia?

Algo parecido sucedió en 1961 al secretario general de la ONU Dag Hammarskföld, considerado también como iniciado en la masonería, cuando el avión en que viajaba para entrevistarse con el secesionista congoleño Moisés Tshombe, sufrió también un misterioso accidente y como consecuencia perdió la vida.

Hammarskföld bautizó en la "sala de los laicos cristianos" el nuevo templo del Orden Mundial junto a la sede de la ONU como "sala del silencio".

Sin embargo, en su casa de Nueva York se encontró un diario que descubrió una sorprendente faceta de su carácter. El mundo conoció con estupefacción que el desaparecido secretario general tenía madera de místico.

El extinto jefe de las Naciones Unidas concebía la vida de funcionario como un acto al servicio de Dios y al prójimo. Soltero empecinado, para él, vivir solo tenía este objetivo. La soledad era el silencio delante de Dios y su tarea era el servicio a los seres humanos. Su diario fue publicado en diferentes idiomas y tuvo una gran difusión.

En Francia el 25% de las carteras ministeriales estaban en manos de iniciados. Era la revancha de la hermandad a los años en blanco protagonizados por el general De Gaulle (1959-1969).

La eclosión de la masonería francesa la había iniciado con otro hermano, también presidente, Valéry Giscard d'Estaing (1974-1981), considerado uno de los padres de la Constitución Europea que suprimió las referencias culturales a la herencia cristiana. El propio Jacques Chirac, primer ministro (1974-1976 y 1986-1988), alcalde de París (1977-1995) y presidente de la República (1995-2007) tuvo hombres de su confianza que eran iniciados todos ellos envueltos, igual que él, en casos de corrupción financiera (GMF y CFR).

ITALIA Y EL VATICANO

En Italia Bettino Craxi, masón, secretario general del Partido Socialista Italiano (1976-1983), fue presidente de gobierno de 1983 a 1987, propiciando una inmensa corrupción socialista que lo obligó a exiliarse para evitar la acción de la justicia.

Un escándalo sonado fue el caso de la logia P-2 colocada bajo el patrocinio de la masonería regular italiana. Su jefe protagonista fue Licio Gelli (nacido en Pistoya en 1919) se afilió pronto al partido fascista. Huyó a Argentina al terminar la guerra y entró en contacto con el presidente Juan Domingo Perón. La logia le salvó de haber colaborado con los nazis y fue aceptado como jefe de la refundada P-2 que reunió a políticos, magistrados, hombres de negocio, banqueros y militares que, al parecer, tenían la intención de dar un golpe de Estado y acabar con el sistema parlamentario en el país, pero fracasaron.

Durante el pontificado de Pablo VI (1963-1978) se hablaba de personajes de la curia vaticana relacionados con la masonería, como el arzobispo Annibale Bugnini, secretario de la Congregación para el Culto Divino, que aprovechando los ecos del Concilio Vaticano II, intentaba una reforma litúrgica no muy conforme con la ortodoxia. El papa lo destituyó fulminantemente y la Congregación fue suprimida. Las habladurías sobre infiltraciones de la masonería en el Vaticano estaban a la orden del día.

Gelli y la P-2 intervinieron también en el asunto del Banco Ambrosiano y las finanzas vaticanas en el que estaba enredado el banquero masón Michele Sindona, consejero del Papa Pablo VI, junto con Roberto Calvi. Circuló la noticia de que Gelli había visitado en su despacho al cardenal Antonio Samore, prefecto de la biblioteca y los Archivos Vaticanos para ofrecerle el puesto de venerable Maestro de la recién fundada logia *Ecclesia* en nombre del Duque de Kent, gran maestro de la Gran Logia de Inglaterra.

A la muerte de Pablo VI, sucedió efímeramente en el pontificado Juan Pablo I, de cuyo fallecimiento se culpó a la P-2.

El estallido del escándalo tuvo lugar bajo el reinado del polaco Juan Pablo II (1978-2005), lo que dañó la imagen de la masonería en Italia a pesar de que por esta fecha se había orquestado una campaña en la que habían entrado muchos teólogos para que levantasen la excomunión a los católicos que perteneciesen a la hermandad.

Logrado esto aparentemente, los masones celebraron con alborozo su hipotético triunfo (lo que hizo el *Código de Derecho Canónico* de 1983 fue no mencionarla). Por otra parte, no le gusto a la hermandad que el propio Juan Pablo II aprobara la beatificación de Pío IX, el gran papa fustigador de la masonería con sus Encíclicas que había tenido que lidiar con la desaparición de los estados de la Iglesia (1870).

El cardenal Ratzinger, que entonces era prefecto, se apresuró a publicar la declaración *Quaesitum Est*, condenando expresamente la hermandad con la firma del papa y la suya. Cuestión que ratificó en *L'Osservatore Romano* el 20 de febrero de 1985. Las protestas contra él merodearon de todos los rincones de la Unión Europea, sobre todo, a partir de su elección como Pontífice en abril del 2005.

Con la declaración *Quaesitum Est*, la Iglesia católica se enlazaba con su línea tradicional doctrinaria del primer código publicado por Benedicto XV en 1917 y del arzobispo ortodoxo de Atenas Crisóstomo en 1933.

Capitulo XIII
Las Naciones Unidas y a Corte de la Tierra

Como sucedió el final de la Primera Guerra Mundial, al término de la segunda —incluso ya durante el conflicto— se quiso crear una organización de alcance general que sirviera para garantizar la paz en el mundo. Así nació la Organización de las Naciones Unidas (ONU). Los tres grandes: Estados Unidos, la Unión Soviética y el Reino Unido acordaron reunirse en la conferencia de San Francisco, el 25 de abril de 1945, en la que aprobaron la Corte de las Naciones Unidas, documento donde se fijan los objetivos, propósitos y fines de la organización.

Ya no estaba Roosevelt, pero el nuevo presidente, Harry S. Truman, también era masón, grado 33 del Rito Escocés. Y también como el anterior, miembro del CFR (*Council on Foreign Relations*); lo que explica su aversión a la España de Franco, donde sus "hermanos" eran perseguidos mediante un tribunal especial.

Mucho se ha discutido sobre la necesidad y viabilidad de la organización y sobre la presencia masónica directa o indirecta dentro del organismo, pero con todas tus virtudes y defectos, en un mundo globalizado, cada vez es más necesaria una organización semejante ya que los principios fundamentales de la carta, en especial su preámbulo, continúan vigentes. Otra cosa es una necesaria reforma estructural, sobretodo, por lo que afecta al secretariado y al Consejo de Seguridad, además de la supresión del derecho a veto de sus miembros permanentes.

Símbolo del Rito Escocés

Otros han visto como objetivo final de la organización, la instalación de un NOM (Nuevo Orden Mundial). Por lo demás, nada hay censurable en los principios de la Carta que intervinieron en su redacción.

Se ha criticado la instalación de templos erigidos en honor del NOM (Nuevo Orden Mundial) de traza masónica bajo los auspicios de la logia Rockefeller cuyos líderes cedieron terrenos para la construcción de la sede de la ONU en Nueva York (y que con ello obtuvieron pingües beneficios al ser recalificados sus terrenos adyacentes).

Se ha criticado la figura de Eleanor Roosevelt viuda del carismático presidente, y su vinculación con la hermandad y con la teosofía. Fue presidenta de la Comisión que, el 10 de diciembre de 1948 en el palacio parisino de Chaillot aprobó la Declaración Universal de Derechos Humanos. Eleanor es una mujer encomiable.

Por primera vez en la historia de la humanidad una declaración de derechos y libertades fundamentales era aprobada por una fuerte mayoría de países, sin ninguna oposición directa y con el respaldo de la autoridad del conjunto de las Naciones Unidas.

Para millones y millones de personas, sin distinción de edad, sexo, raza o condición, la Declaración Universal de Derechos Humanos constituiría, a partir de entonces, la única esperanza para poder vivir en una tierra en la que el respeto, la tolerancia, la comprensión y el amor fraterno, reinen por encima de las múltiples dificultades en la vida cotidiana. Idea muy controvertida en plena coincidencia con los objetivos finales de las organizaciones de la masonería. Siendo muy criticada por diversos estamentos religiosos la falta de mención de Dios de la carta, así como su vertiente cultural, la UNESCO *(United Nations Educational Scientific and Cultural Organization)*.

Sea como fuere, nosotros destacamos lo positivo de las instituciones, tengan o no una mayor o menor influencia masónica. La UNESCO fue creada el 4 de noviembre de 1946, después de una reunión en Londres para proceder a la redacción del acta constitucional que reza así:

"Puesto que las guerras nacen en la mente de los seres humanos, es en la mente de los seres humanos donde deben dirigirse los baluartes de la paz".

Todo lo que ha emprendido la UNESCO desde su creación se ha orientado hacia la realización de ese ideal: establecer la paz entre los pueblos.

El primer director general, Julian Huxley, a estancias de una comisión presidida por el helenista británico Gilbert Murray, miembro de la Gran Logia de Inglaterra que había sido primer presidente de la SDN, señalaba que su actividad es promover la colaboración entre los países a través de la educación, la ciencia y la cultura, con el fin de asegurar el respeto universal de la justicia, la ley, los derechos humanos y las libertades fundamentales para todos sin distinción de raza, sexo, lengua o religión.

La UNESCO ha realizado y realiza una tarea encomiable como sus campañas *Educación para todos*, su programa *Memoria del mundo* para proteger los tesoros irremplazables de las bibliotecas y archivos, a los que se han añadido los constituidos por la tecnología actual sobre el genoma humano y los derechos humanos, la diversidad de cultura, etc.

La mundialización y globalización actual como nuevo sistema socioeconómico en su haber negativo ha aumentado las diferencias entre países ricos y pobres, ha reducido la diversidad cultural y atentado contra el medio ambiente, propiciando un movimiento antiglobalizacion cada vez de mayor envergadura ante un paralelo imaginario que ha dividido los países del norte y los del sur y continúa agravando la fractura. Las protestas, los recelos ante las injusticias desatadas, han ido *in crescendo*, paralelamente a las cumbres políticas, sociales o económicas celebradas y es evidente que mientras no se consiga un reajuste justo y global la paz mundial continuará amenazándola. Amenaza que últimamente se ha añadido el problema del terrorismo.

La Carta de la Tierra

En una de estas "cumbres" de la Tierra, criticada también por su influencia masónica, celebrada en Río de Janeiro de 1992, salió la llamada *Carta de la Tierra*. En ella se presenta una visión compartida de los valores básicos que tendría que ofrecer un fundamento ético a la comunidad mundial para crear una sociedad global basada en el respeto a la naturaleza, a los derechos humanos universales, la justicia económica y la cultura de la paz.

Prueba de apoyo de la hermandad fue la pronta adhesión de la llamada *Carta Antártica de la masonería de Argentina* propiciada por el entonces gran maestro de la Gran Logia de Argentina, Sergio Héctor Núñez en el 2006.

La primera redacción de la carta se realizó en 1997 durante las reuniones del Consejo de la Tierra, que entonces presidía Mijaíl Gorbachov cuyo borrador recibió el secretario general de la ONU, Kofi Annan, para ser debatida en la Comisión de Desarrollo Sostenible de abril de dicho año.

La ceremonia de entrega del documento a la ONU tuvo según Alberto Bárcena[39], una indudable parafernalia masónica:

"La carta, escrita en papiro, guardada en el Arca de la Esperanza (un remedo del Arca de la Alianza) fue llevada en procesión desde el Centro Internacional del Diálogo (también llamado Templo del Entendimiento Universal) a la sede de las Naciones Unidas y presidió, como estaba previsto, la Cumbre de Johannesburgo (2002), para iluminar a los representantes de las naciones".

---

39   Bárcena, Alberto: *Iglesia y Masonería. Las dos ciudades.* Ed. San Román, Madrid, 2015.

Entre los redactores de la carta destacaban el profesor Steven Rockefeller, de su famosa fundación, el entonces director general de la UNESCO, el catalán Federico Mayor Zaragoza y James Wolfensohn, presidente entonces del Banco Mundial, financiador del CFR[40].Tenía su apoyo de las dos ONG la Cruz Verde internacional (que presidía Gorbachov) y el Consejo de la Tierra presidido por Maurice Strong, miembro del Foro de Davos (Suiza) de carácter económico (reunión anual en la ciudad suiza del Cantón de los Grisones).

Curiosamente fueron los diputados laboristas británicos los que protestaron por la masiva intromisión de la hermandad en la función pública en la UE en 1985 y solicitaron transparencia a sus funcionarios en cuanto a su pertenencia a ella. También había acaparado los puestos de la justicia y de la policía. Era necesario manifestar su condición de miembros públicamente porque el secretismo y la obediencia a la logia empañaban al sistema democrático. Por su parte, la Iglesia anglicana en 1986 rechazó a la masonería calificándola de herética siguiendo la línea iniciada en 1952 con la revelación de los rituales secretos practicados en la Gran Logia inglesa. En 1983 Stephen Knight sacó a la luz *El mundo secreto de los masones* que levantó ampollas y le llevó a una extraña muerte prematura.

Todo ello, hizo reflexionar a la Gran Logia inglesa que borró los castigos violentos de sus ritos y provocó que Felipe de Edimburgo ya iniciado, rechazara el cargo de gran maestro al que estaba destinado, y fue el duque Kent, primo de Isabel II el que recogió el testigo. Estos secretos ya ha-

40   *CFR.* Negocio internacional de seguros y mercancías (*cost and freight* = coste y flete).

bían sido revelados en el siglo XIX por un ex masón español Mariano Tirado Rojas[41]. Hubo muchas decepciones de la hermandad en Inglaterra, la tierra donde naciera la masonería, mientras en el resto del mundo en algunos lugares alcanzaba un gran auge.

Carta de las Naciones Unidas. Preámbulo: Nosotros, los pueblos de las Naciones Unidas, resueltos: a preservar a las generaciones venideras del flagelo de la guerra que dos veces durante nuestra vida ha infligido a la humanidad sufrimientos indecibles, reafirmar la fe en los derechos fundamentales del hombre, en la dignidad y el valor de la persona humana, en la igualdad de derechos de hombres y mujeres y de las naciones grandes y pequeñas, a crear condiciones bajo las cuales puedan mantenerse la justicia y el respeto a las obligaciones emanadas de los tratados y de otras fuentes del derecho internacional, promover el progreso social y a elevar el nivel de vida dentro de un concepto más amplio de la libertad, y, con tales finalidades a practicar la tolerancia y a convivir en paz como buenos vecinos, a unir nuestras fuerzas para el mantenimiento de la paz y la seguridad internacionales, a asegurar, mediante la aceptación de principios y la adopción de métodos, que no se usará la fuerza armada sino en servicio del interés común, y a emplear un mecanismo internacional para promover el progreso económico y social de todos los pueblos, hemos decidido aunar nuestros esfuerzos para realizar estos designios. Por lo tanto, nuestros respectivos gobiernos, por medio de representantes reunidos en la ciudad de San Francisco, que han

41   En 1952 Walton Hannah había sacado a la luz *Darkness Visible*. Ed. Barronius Press. Ltd. London, 17 impression.

exhibido sus plenos poderes, encontrados en buena y debida forma, han convenido en la presente Carta de las Naciones Unidas, y por este acto establecen una organización internacional que se denominará las Naciones Unidas.

Capítulo I. Propósitos y principios. Artículo 1: Los propósitos de las Naciones Unidas son: 1. Mantener la paz y la seguridad internacional, y con tal fin: tomar medidas colectivas eficaces para prevenir y eliminar amenazas a la paz, y para suprimir actos de agresión u otros quebrantamientos de la paz; y lograr por medios pacíficos, y de conformidad con los principios de la justicia y del derecho internacional, el ajuste o arreglo de controversias o situaciones internacionales susceptibles de conducir a quebrantamientos de la paz; 2. Fomentar entre las naciones relaciones de amistad basadas en el respeto al principio de la igualdad de derechos y al de la libre determinación de los pueblos, y tomar otras medidas adecuadas para fortalecer la paz universal; 3. Realizar la cooperación internacional en la solución de problemas internacionales de carácter económico, social, cultural o humanitario, y en el desarrollo y estímulo del respeto a los derechos humanos y a las libertades fundamentales de todos, sin hacer distinción por motivos de raza, sexo, idioma o religión; 4. Servir de centro que armonice los esfuerzos de las naciones por alcanzar estos propósitos comunes.

Artículo 2: Para la realización de los propósitos consignados, la organización y sus miembros procederán de acuerdo con los siguientes principios: 1. La organización está basada en el principio de la igualdad soberana de todos sus miembros; 2. Los miembros de la organización, a fin de asegurarse los derechos y beneficios inherentes a su condición de tales, cumplirán de buena fe las obligaciones contraídas por ellos de conformidad con esta carta; 3. Los miembros de la organización arreglarán sus controversias internacionales por medios pacíficos, de tal manera que no se pongan en peligro ni la paz y la seguridad internacionales ni la justicia; 4. Los miembros de la organización, en sus relaciones internacionales, se abstendrán de recurrir a la amenaza o al uso de la fuerza contra la integridad territorial o la independencia política de cualquier Estado, o en cualquier otra forma incompatible con los propósitos de las Naciones Unidas; 5. Los miembros de la organización prestarán a esta toda clase de ayuda en cualquier acción que ejerza de conformidad con esta carta, y se abstendrán de dar ayuda a Estado alguno contra el cual la organización estuviere ejerciendo acción preventiva o coercitiva; 6. La organización hará que los Estados que no son miembros de las Naciones Unidas se conduzcan de acuerdo con estos principios en la medida que sea necesario para mantener la paz y la seguridad internacional; 7. Ninguna disposición de esta carta autorizará a las Naciones Unidas a intervenir en los asuntos que son esencialmente de la jurisdicción interna de los Estados, ni obligará a los miembros a someter dichos asuntos a procedimientos de arreglo conforme a la presente carta; pero este principio no se opone a la aplicación de las medidas coercitivas prescritas en el Capítulo VII.

Capítulo II. Miembros. Artículo 3: Son miembros originarios de las Naciones Unidas los Estados que habiendo participado en la Conferencia de las Naciones Unidas sobre Organización Internacional celebrada en San Francisco, o que habiendo firmado previamente la Declaración de las Naciones Unidas de 1 de enero de 1942, suscriban esta carta y la ratifiquen de conformidad con el artículo 110. Artículo 4: 1. Podrán ser miembros de las Naciones Unidas todos los demás Estados amantes de la paz que acepten las obligaciones consignadas en esta carta, y que, a juicio de la Organización, estén capacitados para cumplir dichas obligaciones y se hallen dispuestos a hacerlo; 2. La admisión de tales Estados como miembros de las Naciones Unidas se efectuará por decisión de la Asamblea General a recomendación del Consejo de Seguridad.

Artículo 5: Todo Miembro de las Naciones Unidas que haya sido objeto de acción preventiva o coercitiva por parte del Consejo de Seguridad podrá ser suspendido por la Asamblea General, a recomendación del Consejo de Seguridad, del ejercicio de los derechos y privilegios inherentes a su calidad de miembro. El ejercicio de tales derechos y privilegios podrá ser restituido por el Consejo de Seguridad.

Artículo 6: Todo miembro de las Naciones Unidas que haya violado repetidamente los principios contenidos en esta carta podrá ser expulsado de la Organización por la Asamblea General a recomendación del Consejo de Seguridad.

Capítulo III. Órganos. Artículo 7: 1. Se establecen como órganos principales de las Naciones Unidas: una Asamblea General, un Consejo de Seguridad, un Consejo Económico y Social, un Consejo de Administración Fiduciaria, una Corte Internacional de Justicia y una Secretaría; 2. Se podrán establecer, de acuerdo con las disposiciones de la presente carta, los órganos subsidiarios que se estimen necesarios.

Artículo 8: La organización no establecerá restricciones en cuanto a la elegibilidad de hombres y mujeres para participar en condiciones de igualdad y en cualquier carácter en las funciones de sus órganos principales y subsidiarios.

Declaración Universal de los Derechos Humanos

Aprobado y proclamado por la Asamblea General de las Naciones Unidas el 10 de diciembre de 1948.

PREÁMBULO

CONSIDERANDO que la libertad, la justicia y la paz en el mundo tienen por base el reconocimiento de la dignidad intrínseca y de los derechos iguales e inalienables de todos los miembros de la familia humana;

CONSIDERANDO que el desconocimiento y el menosprecio los derechos humanos han originado actos de barbarie ultrajantes para la conciencia de la humanidad; y que se ha proclamado, como la aspiración más elevada del hombre, el advenimiento de un mundo en que los seres humanos, liberados del temor y de la miseria, disfruten de la libertad de palabra y de la libertad de creencias.

CONSIDERANDO que los derechos humanos sean protegidos por un régimen de Derecho, a fin de que el hombre no se vea compelido al Supremo recurso de la rebelión contra la tiranía y la opresión;

CONSIDERANDO también esencial promover el desarrollo de relaciones amistosas entre las naciones;

CONSIDERANDO que los pueblos de las Naciones Unidas han reafirmado en la carta su fe en los derechos fundamentales del hombre, en la dignidad y el valor de la persona humana y en la igualdad de derechos de hombres y mujeres; y se han declarado resueltos a promover el progreso social y elevar el nivel de vida dentro de un concepto más amplio de la libertad;

CONSIDERANDO que los Estados miembros se han comprometido a asegurar, en cooperación con la Organización de las Naciones Unidas, el respeto universal y efectivo de los derechos y libertades fundamentales del hombre; y

CONSIDERANDO que una concepción común de estos derechos y libertades es de la mayor importancia para el pleno cumplimiento de dichos compromisos;

LA ASAMBLEA GENERAL

PROCLAMA:

LA PRESENTE DECLARACIÓN UNIVERSAL DE DERECHOS HUMANOS como ideal común por el que todos los pueblos y naciones deben esforzarse, a fin de que tanto los individuos como las instituciones, inspirándose constantemente en ella promuevan, mediante la enseñanza y la educación, el respeto a estos derechos y libertades, y aseguren, por medidas progresivas de carácter nacional e internacional, su reconocimiento y aplicación universales y efectivos, tanto entre los pueblos de los Estados Miembros, como entre los territorios colocados bajo su juris-dicción.[42]

Preámbulo a la Carta de la Tierra (Río de Janeiro, 1-15 junio 1992): nos encontramos ante un momento crítico en la historia de la Tierra, un momento en la cual la humanidad ha de escoger su futuro. A medida que el mundo se hace más independiente y frágil, el futuro presenta a la vez grandes riesgos y grandes promesas. Para continuar avanzando hemos de reconocer que, junto la magnífica diversidad de culturas y de formas de vida, somos una sola familia humana y una sola comunidad de la tierra con un destino común. Hemos de unirnos para crear una sociedad global sostenible basada en el respeto a la Naturaleza, los Derechos Humanos Universales, la justicia económica y la cultura de la paz. Con este objetivo, es imperativo que nosotros, los pueblos de la Tierra, declaremos nuestra responsabilidad los unos y los otros, hacia la gran comunidad de vida y hacia las generaciones futuras:

Nosotros somos Tierra, la gente, las plantas, los animales,
las lluvias y los océanos,
el aire del bosque y la brisa marina.
Honramos la Tierra como hogar de todo aquello que es vivo.
Amamos la belleza de la Tierra y la diversidad de la vida
Agradecemos la capacidad de la Tierra de renovarse
Ella que es la base de toda la vida.
Reconocemos la situación especial

---

42   Varios autores: Declaración Universal de los Derechos Humanos Amnistía Internacional. Madrid, 1984.

de los pueblos indígenas de la Tierra,
sus territorios, sus costumbres
y su relación singular con la Tierra.
Estamos consternados por el sufrimiento humano,
la pobreza y los daños que causa
a la Tierra la desigualdad de poder.
Aceptamos la responsabilidad de proteger
y restaurar la Tierra
y admitir la utilización juiciosa y equitativa
de los recursos para conseguir un equilibrio ecológico.
unos nuevos valores sociales, económicos y espirituales.
Somos UNO en toda nuestra diversidad
nuestro hogar común se halla cada vez más amenazado
Así pues nos comprometemos con una serie de principios,
y subrayamos en todo momento las necesidades específicas
de las mujeres, los pueblos indígenas, el sur, los disminuidos
y todos los que queréis que no haya ninguna situación desfavorable.

El texto anterior estará inspirado por la masonería. Veamos la *Declaración del Milenio* aprobada en la conferencia de Alto Nivel celebrada del 6 al 8 de septiembre de 2002 en Nueva York que refleja los intereses y preocupaciones de 147 jefes de Estado y de Gobierno y de un total de 191 países, que acudieron y participaron en la reunión de líderes mundiales, siendo secretario general de la ONU Kofi Annan, cuya organización había recibido el año anterior el Premio Nobel de la Paz.

Declaración de Kofi A. Annan en la Declaración del Milenio: "Al proponer la celebración de la Cumbre, mi intención fue aprovechar el poderoso símbolo del Milenio para atender las necesidades reales de los pueblos de todo el planeta. Al escuchar a los dirigentes mundiales en la declaración que aprobaron, me sorprendió agradablemente la notable convergencia de opiniones respecto a los retos a los que hacemos frente y el sentido de urgencia y su llamada a la acción:

-Reducir a la mitad el número de personas que viven en condiciones de extrema pobreza.

- Proporcionar a todos de agua potable y educación básica.

- Reducir la propagación del VIH/SIDA así como conseguir otros objetivos del desarrollo.

-Fortalecer las operaciones de paz de las Naciones Unidas, de forma que las comunidades vulnerables pueden contar con nosotros cuando lo precisen.

- Luchar contra la injusticia, la desigualdad, el terrorismo y la delincuencia.

- Proteger nuestro patrimonio común, nuestro planeta, para el bien de las generaciones futuras.

- Adoptar nuestra organización al nuevo siglo.

- Preocuparnos por su eficacia y adoptar medidas y consecución de resultados.

Por nuestra parte, junto con nuestros colaboradores, trabajaremos para ello, pero son los pueblos del mundo en quienes recae, junto con sus representantes este reto".[43]

---

43   Associació per a les Nacions Unides a España (ANUE) *Les Nacions Unides y els Drets Humans* 1948-2008 a cura de Xavier Pons Ràfols, Barcelona, 2007.
ANUE i el centre UNESCO de Catalunya. *Declaració del Mil.leni*, Barcelona, 2002.

SEGUNDA PARTE

Capitulo XIV
La masonería y la mujer

Las Constituciones de Anderson de 1717 negaban categóricamente la entrada de la mujer en la masonería por una sencilla razón, porque para entrar en ella "era necesario ser libre y de buenas costumbres". Por aquel entonces, las mujeres no eran libres porque vivían bajo la tutela del varón, padre, esposo o hermano mayor. Por otra parte, en su origen, el oficio ancestral del masón era el trabajo en la cantera y la talla de las piedras, oficio exclusivamente realizado por hombres y discutido en las logias.

Para ser "libre" se necesitaba cierta independencia económica y eso solo lo consiguió la mujer plenamente (no en todos los países) a partir de la segunda mitad del siglo XX.

Sin embargo, ello no implica que las mujeres no se sintieran atraídas por la misteriosa secta. En la Francia del Rey Sol las "damas ilustradas" frecuentan los famosos salones en donde junto con los hombres o a solas, se debatía en aspectos de la vida, especialmente intelectuales, de su época.

Con la presión en las logias de oficios diferentes de constructor se adoptó una actitud de admisión más abierta, otros oficios además del de constructor podían tener el beneplácito del Gran Arquitecto del Universo, y entre ellos, los propios de la mujer, como por ejemplo de los tapices o el arte de tejer que hundía sus raíces en los tiempos medievales. Si la masonería tenía que servir para la regeneración completa de la humanidad era lógico que las mujeres iniciarán sus reivindicaciones de acceso al conocimiento iniciático, porque si no solamente podían acceder una parte de los seres humanos.

Así nació en 1744 el *Rito de adopción*, o *Masonería de damas*, primero de forma lenta porque de momento sus logias se componían de menos miembros que las masculinas, pero ya a finales del siglo XIX existían más de 150 logias.

Hay que recordar, sin embargo, la sociedad secreta fundada en el siglo XVIII en Francia por el farsante Cagliostro, mediatizado por su mujer, con el nombre de "masonería egipciaca".

Este *Rito de adopción*, o *Masonería de damas* adoptó sus reglas en la segunda mitad del siglo XVIII. Solo los maestros francmasones podían asistir a sus reuniones y necesariamente deben venir de una logia masónica masculina. El venerable maestro tenía que presidirla y podía valerse como acompañante de una maestra presidenta.

El objetivo de la masonería de adopción era la virtud, el amor al bien y el desprecio a los vicios con la práctica de las buenas costumbres: constaba de 4 grados: 1º Aprendiza, 2º Compañera, 3º Maestra, y 4º Maestra perfecta. En Alemania en el siglo XVIII se creó una masonería histórica. Uno de sus ritos consistía en besar el trasero de un perro pequeño de peluche, lana u otro tejido. Tal ritual perjudicó el buen nombre de las "masonas".

EL 14 de enero de 1882 en la localidad de Le Pecq cerca de París fue iniciada María Deraismes, periodista y gran feminista. La polémica subsiguiente suscitada por ello hizo que Deraismes tuviera que salir de la logia. Entonces María creó una nueva obediencia y el 4 de abril de 1893 nació la Gran Logia Simbólica Escocesa de Francia- El Derecho Humano. Era una Orden mixta bajo la dirección del doctor Georges Martin. En la actualidad el *Derecho* Humano Mixto e Internacional posee logias en todos los continentes.

Imagen de María Deraismes

Paralelamente en España en los años 1874-80 se siente un resurgimiento de la masonería impulsada, aunque breve, por la Primera República española. La mujer española solicitó su ingreso en las logias de adopción y así surgieron *Las* Hijas de la Regeneración con sede en Cádiz; Las Hijas de los pobres, madrileña; Las Hijas de la unión de Valencia hasta constar siete logias de adopción según el *Anuario* de 1894 a 1895 del Gran Oriente español.

En algunos casos las mujeres se infiltraron en las logias masculinas como Los Hijos de Riego de Madrid o Nueva Cádiz como primer paso para crear logias de adopción. Todas estas logias dependieron del Gran Oriente español.

A finales del siglo XIX, las logias de adopción se extendieron por Portugal, Argentina, Cuba, Brasil y otros países. Las logias abrieron sus puertas en 1819 por influencia del establecimiento de los carbonarios que creó una sección titulada *Las bellas jardineras*.

Desde 1901 la Gran Logia de Francia creó la primera logia femenina exclusivamente independiente para la promoción intelectual de la mujer, organizando asambleas y conferencias que espolearon la creación de nuevas logias paralelas a las masculinas a semejanza de estas.

El 8 de julio de 1936 se constituyó el Congreso Anual de las Logias de Adopción y se creó una gran secretaría. A finales de dicho año se designó una presidenta para dirigir las temidas colectivas. Esto fue el embrión del futuro Consejo Federal. Durante la segunda Guerra Mundial, las masonas fueron perseguidas y deportadas.

El 21 de octubre de 1945 se creó el primer Consejo Federal de la Unión Masónica Femenina de Francia. 1952 tomó el nombre de Gran Logia Femenina de Francia, adoptando en 1959 los rituales y los signos del Rito Escocés Antiguo y Aceptado de origen masculino. En España durante la dictadura de Rivera desaparecieron todas las logias de adopción y durante la Segunda República comenzaron a establecerse de nuevo en Barcelona y en Madrid, pero la Guerra Civil les impidió establecerse por toda España.

En la actualidad se calcula según Miguel Martín Albo que existen 200 logias femeninas repartidas por todo el planeta junto con los correspondientes "talleres" que reúnen a unas 12000 "hermanas", dependientes de la Gran Logia Femenina de Francia y la Gran Logia Femenina Alma Mexicana de Rito Escocés Antiguo y Aceptado.

Existen también logias de adopción mixtas o paramasónicas como en los EE. UU. en nombres tan llamativos como Las hijas del Nilo o Las hijas del Arco Iris con una extravagante vestimenta.

En febrero de 1977 se dio a conocer en Barcelona La Minerva Lleialtat número 3, primera logia madre que derivaría en la Gran Logia Simbólica Española que oficialmente se suscribiría en el Registro de Asociaciones del Ministerio del Interior en mayo de 1980.

Rosa Elvira Presmanes ha sido la precursora de la convergencia entre feminismo y masonería siguiendo la línea de Doña Emilia Pardo Bazán, Clara Campoamor, Teresa Claramunt, etc., actividad que siguió la ascensión de la corriente liberal (1999). Dentro de la Orden y por lo que respecta a España la igualdad de hombres y mujeres es un hecho.

¿ES NECESARIA UNA MASONERÍA FEMENINA?

Las estrictamente seguidoras de la Constitución de Anderson, creen que no, porque la hermandad proviene de una profesión masculina. Sin embargo, las actuales masonas con toda la razón, argumentan que en la actualidad las mujeres ejercen las profesiones de arquitecto, ingeniero, médico, abogado, militar y hasta conductora de autobús o de metro.

Y así sus actividades se han extendido de sus ocupaciones estrictas del hogar y de la procreación.

La Gran Logia Femenina de Francia es partidaria de que las mujeres discutan en sus reuniones los temas específicos femeninos y luego se reúnan con los hombres para debatir los temas comunes. Solo así se alcanzará la anhelada igualdad de sexos. A los hombres se les permite asistir a las reuniones de la Gran Logia Femenina de Francia como visitadores.

Las discusiones entre muchos sexos permiten que el ser humano progrese más rápidamente. La obediencia femenina está dirigida solo a mujeres mientras que la mixta, hombres y mujeres, se reparten las tareas, de aquí a la práctica, pueden surgir algunos problemas.

Las masonas creen que su papel en la sociedad con su perfeccionamiento, puede acrecentarse debido a la educación que puedan dar a sus hijos por su conducta, así la humanidad progresará gracias a la tolerancia, la igualdad de sexos, la libertad, la paz y la justicia.

Capítulo XV
Código moral. Simbología y rituales

El verdadero culto que se da al Gran Arquitecto del Universo consiste, principalmente, en las buenas obras.

Ten siempre tu alma en un estado puro para aparecer dignamente delante de tu conciencia.

Ama a tu prójimo como a ti mismo.

No hagas mal para esperar bien.

Haz bien por amor al mismo bien.

Estima a los buenos, ama a los débiles, huye de los malos, pero no odies a nadie.

No lisonjees a tu hermano pues es una traición, si tu hermano te lisonjea teme que te corrompa.

Escucha siempre la voz de tu conciencia.

Sé el padre de los pobres; cada suspiro que tu dureza les arranque son otras tantas malolientes que caerán sobre tu cabeza.

Evita las querellas, prevé los insultos, deja que la razón quede siempre a tu lado.

Parte con el hambriento tu pan, y a los pobres mételos en tu casa, cuando veas al desnudo cúbrelo y no desprecies tu carne en la suya.

No seas ligero en airarte porque quien ama la ira reposa en el seno del necio.

Detesta la avaricia porque quien ama la riqueza ningún fruto sacará de ella, y esto también es vanidad.

El corazón de los sabios está donde se practica la virtud y el de los necios donde se festeja la vanidad.

Si te avergüenzas de tu destino, tienes orgullo; piensa que aquel ni te honra ni te degrada; el modo con que lo cumplas te hará uno u otro.

Lee y aprovecha, ve e imita, reflexiona y trabaja, ocúpate siempre en el bien de tus hermanos y trabajarás por ti mismo.

No juzgues ligeramente las acciones de los hombres, no reproches y menos alabes; antes procura sondear bien los corazones para apreciar sus obras.

Sé entre los profanos libre sin licencia, grande sin orgullo, humilde sin bajeza y entre los hermanos, firme sin ser tenaz, severo sin ser inflexible y sumiso sin ser servil.

Habla moderadamente con los grandes, profundamente con tus iguales, sinceramente con tus amigos, dulcemente con los pequeños y eternamente con los pobres.

Justo y valeroso defenderás al oprimido, protegerás la inocencia, sin reparar en nada de los servicios que prestares.

Exacto apreciador de los hombres y de las cosas, no atenderás más que al mérito personal sean cuales fueren el rango, el estado y la fortuna.

El día en que se generalicen estas máximas entre los hombres, la especie humana será feliz y la masonería habrá terminado su tarea y cantado su triunfo regenerador.[44]

La logia o espacio reservado para las reuniones rituales constaba de dos salas más largas que anchas orientadas de Oriente a Occidente. Al traspasar la puerta que comunica con el exterior se encuentra un vestíbulo en el que se abre la auténtica puerta. En los países latinos, la entrada de los

[44]   Tomado de José, A. Ferrer Benimeli: *Historia 16 Extra IV. Noviembre 1977*, op. cit. pág. 16.

"templos" masónicos se procura que pase inadvertida, en los anglosajones, germánicos y escandinavos los templos son auténticos edificios, algunos de grandes dimensiones como el *Freemason's Hall* de Londres inaugurado en 1775, reconstituido en 1864, modificado con su actual forma en 1927 y finalizado en 1933 por el duque de Connaught, gran maestro.

En EE. UU. destacan los edificios de Indianápolis y Philadelphia. En Suecia la Gran Logia se instaló en la segunda mitad del siglo XIX en un palacio que data de 1660. En París el Gran Oriente de Francia se sitúa en un edificio nada bello arquitectónicamente, mientras que la Gran Logia de Francia se ha instalado en un antiguo convento. El Oriente es el lugar de honor aunque en la actualidad su orientación es solo simbólica. El suelo tiene que estar ajedrezado y dispuesto en cuadrículas blancas y negras. En el techo campea un emblema con la letra G (nombre de Dios en inglés, *god*, aunque algunos la consideran la primera letra de la palabra geometría).

La decoración interior se inspira en el simbolismo masónico (bóveda entallada, columnas que recuerdan a las del Templo de Salomón, sol, luna, el mosaico ya citado del pavimento).

Sobre el estrado se halla en el centro la cátedra del venerable maestro, presidente de la logia que tiene delante un pedestal bajo en forma de columna jónica con el emblema del maestro —la escuadra—, grabado delante sobre la escuadra descansa un cojín con una Biblia junto a una escuadra y un compás de plata o plateados símbolos del equilibrio y la rectitud[45].

45   De la Cierva Ricardo. *La palabra Perdida. El Templo secreto*

En París, el edificio del Supremo Consejo del Rito Escocés Antiguo y Aceptado se compone de tres templos, uno para las grandes elevados, otro para el grado 18 (caballero Rosacruz) en el que figura una amplia rosa en el centro de una cruz, otra para el grado 33 y último grado con asientos forrados en oro a semejanza de la cámara de los *loves* londinenses. Algunos edificios tienen en la actualidad un magnífico museo como la logia inglesa, la de Roma, etc.

La izquierda de la logia es el lugar de honor. A cada lado se sitúan dos diáconos, dos guardianes con espadas, uno en el interior junto a la puerta de la logia y otra en el exterior con la espada desenvainada.

Todos los símbolos utilizados por las distintas logias con algunas variantes proceden de los antiguos gremios o hermandades. Las herramientas ya poseían una significación espiritual en los tiempos de la masonería operativa.

En las primeras noticias los símbolos masónicos se dibujaban en el suelo con tiza o carbón al comienzo de las reuniones y eran borrados al final. Se ha creído que tenían un ritual mágico. En el siglo XVIII se confeccionaron alfombras y tablas de madera pintadas.

En el mobiliario actual, además de la Biblia, se destaca la escuadra y el compás, el nivel, el cartabón, la piedra bruta y la piedra cúbica, la escalera de caracol, antiguamente de carpintería y en la actualidad pintada.

Todos con un sentido operativo y esotérico, salvo el libro de la Sagrada ley "voluntad reservada del Gran Arquitecto del Universo" con el plano para el diseño y creación del mundo.

Cada logia guarda tres candelabros de grandes dimensiones. Los capiteles con las órdenes griegas poseen su
de la masonería. Fénix, Madrid, 1999.

simbología. El asiento del venerable maestro tiene la forma de trono más que de sillón presidencial. En el museo de la Gran Logia Unida de Inglaterra se encuentra un extraordinario trono del gran maestro.

La habitación angosta donde los candidatos se preparan para ser iniciados puede tener las paredes desnudas o pintadas con símbolos alquimistas en el Rito Escocés.

VESTIMENTA

La pieza fundamental es el mandil blanco de piel de cordero, símbolo de trabajo y también de la inocencia. Esta pieza se remonta a la época de los albañiles cuando era largo y pesado. Fue en el siglo XVIII cuando se transformó en símbolo y el cambio del tipo de masonería. Al llevarlo al noble en la logia, al igual que lo vestían los obreros, no por ello se degrada sino que rinde homenaje al ideal del trabajo.

Según los grados, las funciones y el rito, es más recargado y con lacitos y complejos adornos dorados. El gran maestro lleva un sol. El color del Rito Emulación es azul sobre fondo blanco. El del Rito Escocés es rojo. El del grado Rosacruz simboliza el pelícano místico inmolándose por sus crías. El del Ritual Inglés con más pompa y esplendor que la Orden mobiliaria de la Jarretera de creación real o cualquier otra Orden vigente en el mundo se acompaña con guantes blancos.

Además del mandil acompañan a este los collares o corbatas en cuyo extremo se encuentra una joya relativa a la función o cargo. El venerable maestro exhibe un collar con una escuadra, el del primer vigilante con un nivel y el del segundo con una regla. Muchas logias presentan una medalla propia. Sin embargo, no pueden llevar una medalla profana o los tres grados primeros usar un grado superior. En 1811 el rey sueco Carlos XIII fundó la Orden de su nombre destinada a los altos dignatarios de la masonería sueca (cinta roja y chapa).

Algunos grados llevan el vestido talar como el *Royal Arch*. Sus tres principales portan el vestido rojo, azul oscuro y azul pálido con connotaciones bíblicas. En el Rito Escocés Antiguo y Aceptado el grado 33 lleva collar blanco que finaliza con el emblema del "Águila bicéfala". En el grado supremo del Régimen rectificado el manto es blanco adornado con la cruz roja de los caballeros templarios.

En las logias tradicionales los maestros pueden permanecer en ella con la cabeza cubierta, tradición que se remonta en el siglo XVIII. El sombrero de copa se continúa utilizando en las logias alemanas y solo se descubren ante la mención del Gran Arquitecto del Universo.

Los ritos principales son: Rito Simbólico, Rito Escocés, Rito de Mizraim, Rito Templario, Rito de la Estricta Observancia, Orden de Reales Arcos, Orden de Reales y Selectos Maestros....

El Gran Oriente español utiliza el calendario del rito simbólico iniciado el año 4000 a. C., de aquí 4000+2017= 6017. El año masónico va del 1º de marzo (primer mes) al 28 de febrero (o 29 si es bisiesto).

Solo hasta la segunda mitad del siglo XX se empezaron a desvelar los diferentes ritos masónicos. El primero que lo empezó a realizar con conocimientos científicos fue el historiador Ricardo de la Cierva[46] que se basa en la obra de Wal-

---

46   De la Cierva, Ricardo: *La palabra perdida. El triple secreto de la masonería*, Fénix, Madrid. 1999.

ton Hannah[47] en 1952. Esta publicación fue un escándalo porque se iniciaba el desciframiento de los hasta entonces herméticos rituales.

El simbolismo masónico constituye para muchos una auténtica ciencia con normas propias y cuyos principios se originan en el mundo de modelos arquetípicos sólidamente asentados. Únicamente por medio de los símbolos que constituyen el rito es posible penetrar en el conocimiento esotérico, esto es en la enseñanza recibida por cada masón en su más profunda intimidad[48].

---

47   Hannah, Walton: *Darkness visible* (*La oscuridad visible*). Londres, 1952.
48   Martín-Albo, Miguel: *La Masonería. Logias, rituales y símbolos de la hermandad.* Libsa, Madrid, 2015.

Capítulo XVI
ABC Masónico[49]

Acacia: a causa de su verdor continuamente renovado es el símbolo masónico de la inmortalidad del alma.

Areópago: de origen griego. El antiguo tribunal de Atenas simboliza el grado 30.

Afiliación: entrada de un hermano en una logia distinta de su iniciación.

Ágape: en griego, banquete. Es un banquete fraternal que recuerda la última cena cristiana y que se organiza tras los debates de las logias denominadas *temidas*.

Arte Real: sinónimo de la masonería tenido como elevación del espíritu y un modelo de perfección.

Atributo: los diversos emblemas como delantal, cordón, joyas, etc. que varían según el grado o la función desempeñada en la logia o en la obediencia.

Aumento de salario: escalada a un grado superior. Aspiración de todo iniciado.

Altar: mesa de la logia en la que se sitúan las tres grandes luces., la Biblia, la escuadra y el compás. Antes los nuevos admitidos prestan su juramento delante del venerable oficiante de la ceremonia.

Banquete blanco: a él son admitidos los que no son masones.

Banquete ritual: banquetes y rituales establecidos para cada logia, uno durante la fiesta de San Juan Bautista, solsticio de verano, y otro la fiesta de San Juan Evangelista, solsticio de invierno.

---

49 Recopilado de la obra civil de Ferrer Benimeli, J.A. *Revista de Historia*, noviembre 1977, págs 147-151.

Barrica: botella en el ritual masónico.

Batería: ritual propio del Rito Escocés Antiguo y Aceptado y del Rito Escocés Rectificado que consiste en golpear rítmicamente con las manos diferentes según el grado de iniciación.

Bóveda de acero: símbolo de las espadas cruzadas en alto que realizan los miembros de una logia ante la visita de una personalidad importante al templo.

Cañón: se trata del vaso ritual del masón.

Capitación: desembolso anual del masón a su logia. En 1977 en Francia era de unos 300 francos.

Cargar: se trata de llenar el vaso en los banquetes rituales.

Carta: constitución o leyes de una logia para su obediencia.

Catecismo: libro manual que contiene la enseñanza masónica para cada grado.

Catedra del rey Salomón: sillón no ocupado por el venerable en la logia.

Coloquio: discusión a cargo de especialistas masones y profanos sobre temas concretos.

Columnas: en primer lugar se trata de las dos columnas simbólicas J y B (Jakin y Boaz) que se hayan a la entrada de la logia a semejanza de la entrada del templo de Jerusalén, elegidos por Hiram. La de la derecha corresponde a Jakin y a la izquierda, Boaza según el texto bíblico Reyes 7. 21-22. Señala el lugar que ocupan los masones en la logia según el lado de cada columna.

"Y asentó las dos columnas en el pórtico del templo y alzado que hubo la de la derecha la llamó Jakin, levantaba igualmente la segunda le puso por nombre Boaz. Sobre las cabezas de las columnas puso remates, que tenían la figura de Azucena: y con esto quedó concluida la obra de las columnas".

Contraseña: signos manuales de reconocimiento entre los afiliados solamente conocidos por ellos.

Consistorio: taller de los grados 31 y 32 en el Rito Escocés Antiguo y Aceptado.

Convento: reunión anual de todos los afiliados de las logias en una misma obediencia.

Despertar: vuelta a la actividad masónica normal de un hermano o de una logia, detenida por cualquier circunstancia de fuerza mayor.

Despojar de los metales: significa el estado de desnudez del aspirante. Los metales simbolizan las pasiones humanas de los no iniciados que deben despojarse de ellas (Rito Escocés Antiguo y Aceptado). También simboliza los vicios (Rito Rectificado 2° grado) y en general los metales terminan por simbolizar el dinero.

Escocismo: actos grados de la masonería inspirados en la tradición caballeresca templaria.

Encuesta: simbolizan la rigurosa igualdad y constante conciliación entre los afiliados. Es la segunda de las tres grandes "luces" que iluminan la noche y que recuerda la herramienta primitiva de los constructores.

Encuesta flamígera: espada que se entrega al venerable de la logia el día de su creación. De hoja sinuosa simboliza el fuego del cielo y en las manos del venerable significa la potencia espiritual.

Experto: con el grado de Oficial reconoce a los visitantes la logia, recogen los escrutinios y reemplazan la ausencia de otro oficial.

<u>G</u>.: Inscrita en el centro de la escuadra tanto puede significar Dios (*God*) como geometría, símbolo del arte de la arquitectura, gnosis, genio, gravitación sin otros significados.

<u>Gabinetes de reflexión</u>: en él se encierra el aspirante antes de su iniciación para meditar sobre un número de símbolos que le rodean. Allí redacta también su pensamiento filosófico.

<u>Grados masónicos</u>: cada ritual tiene sus grados propios de perfeccionamiento.

<u>Gran Arquitecto del Universo</u>: para algunos masones Dios, para otros el principio creador y general la ley para todos.

<u>Gran Canciller</u>: gran oficial que en algunas obediencias ofrece el cargo de relacionarse con las otras logias.

<u>Gran Comendador</u>: alto dignatario presidente del Supremo Consejo.

<u>Gran maestro</u>: Autoridad máxima en una logia.

<u>Grabar</u>: escribir, recuerda un antiguo oficio picapedrero.

<u>Guantes blancos</u>: En muchas logias no pueden faltar en el atuendo de sus miembros. Simbolizan la pureza del espíritu.

<u>Hermano tres puntos</u>: En el mundo profano, sobrenombre dado al masón.

<u>Hijos de la luz</u>: masones opuestos a los hijos de las tinieblas, los que no lo son

<u>Hiram</u>: era un fenicio de Tiro, hijo de una viuda de la tribu de Neftalí. Su rey lo envió a Salomón para construir el templo. La leyenda cuenta como Hiram es asesinado en el templo de Jerusalén por sus compañeros descontentos. Los masones desconsolados buscan desesperadamente su cuerpo. Una acacia les señala el lugar y finalmente resucita en cada uno de los hermanos elevado a maestro. Quizás esta

leyenda provenga de algún misterio representado en las comunidades medievales, como la del Santo Grial.

Iniciación: ceremonia de entrada en la masonería.

Instalación: toma de posesión anual de los oficiales de la logia y ceremonia ritual por la que esta queda regularizada.

Juramento: obligación ineludible.

Landmarks: reglas de comanda que han existido desde tiempos remotos, en forma de leyes escritas o por tradición oral. Son inmortales y se deben conservar intactas bajo gravísimas penas si son violadas.

Latomo: del latín *latomus*, albañil o masón.

Logia: al igual que una iglesia, doctrina, ritual y lugar de reunión de los masones. A imitación de las logias operativas de los constructores de catedrales están orientadas como aquellas. La puerta se abre a Occidente; el venerable se sitúa en el Oriente, de espaldas a la dirección de donde viene la luz; los aprendices se colocan al norte y los compañeros al sur con los maestros. Una logia percibida por el venerable debe contar al menos con siete maestros para ser regular.

Loveton: hijo de francmasón que presenta su padre en la logia.

Mandil: delantal usado por los masones en las logias. Su decoración varía según el grado.

Mallete: martillo de madera o mandil bicéfalo. Atributos del venerable en la logia y de los dos vigilantes.

Malletes batientes: honor con que los dignatarios son recibidos en la logia.

Metales: signos exteriores de la riqueza y las pasiones humanas.

Obediencia: federación de las logias que aceptan una misma autoridad.

Obligación: compromiso bajo fundamento que el aspirante debe cumplir a rajatabla.

Obolo: limosna entregada por cada masón al terminar la reunión para obras de beneficencia.

Oficial: maestro masón encargado en la logia de una responsabilidad particular.

Orden: sinónimo de la francmasonería universal.

Oriente eterno: situado más allá de la muerte.

Palabra de semestre: palabra que cada seis meses transmite la obediencia a todas sus logias.

Palabra sagrada: palabra de reconocimiento propio de cada grado.

Pasaporte: documento masónico extendido por la obediencia que sirven los hermanos para su reconocimiento en un país extranjero, imprescindible para su seguridad.

Pasar la paleta: perdonar a un hermano una ofensa; borrarla.

Patente: carta que una obediencia entrega a siete maestros masones que les autoriza a constituir una nueva logia.

Piedra de fundación: primera piedra de un templo masónico que al ser colocada se ofrece en una ceremonia ritual solemne.

Plancha: trabajo escrito, un discurso, correspondencia, etc.

Pólvora: bebida en los banquetes masónicos. La pólvora blanca es el vino; la débil, el agua; la muy blanca, el vino tinto; la fulminante, los licores; la amarilla, la sidra o la cerveza.

Proceso verbal: acta de una reunión de una logia redactada por el secretario y aprobada por los maestros tras las observaciones del orador.

Profano: persona no iniciada, así como todo lo que es ajeno a la masonería.

Pruebas: viaje simbólico realizado por el aspirante durante la ceremonia de iniciación.

Radiación: expulsión de un hermano que no ha cumplido los compromisos y ha sido considerado indigno.

Recibir la luz: ser iniciado.

Rito: al igual que en la iglesia, es una rama particular de la masonería. Además de los ritos ya citados, el Rito Escocés se divide en Rectificado, Filosófico y el Rito Escocés Antiguo y Aceptado. Existen también el Rito de Emulación, el Rito de Perfección, el Rito York, el Rito Francés, el Rito Sueco, entre otros, hasta completar según algunos diccionarios masónicos hasta 145 ritos. Se denomina rito, con minúscula, los diversos actos ceremoniales de iniciación (como el de despojar de metales al aspirante) o de desarrollo de trabajos dentro de la logia cuyo formalismo se halla regulado según su finalidad iniciática.

Saco de proposiciones: Urna en la que al acabar las reuniones los hermanos pueden depositar sus proposiciones que creen convencionales para la buena marcha de su logia.

Salario: grado masónico.

Serenisimo: título otorgado al gran maestro.

Señal de apuro: signo solo conocido por los maestros masones que sirve para recabar la ayuda de sus hermanos en casos de peligro.

Señal de reconocimiento: señal que permite a una persona hacerse reconocer como el hermano, muy importante.

Señal de orden: signo simbólico del grado en el que se trabaja en el taller y que no puede olvidarse.

<u>Sueño:</u> interrupción del trabajo masónico regular en una logia o individuo cuya situación no hace perder sus derechos masónicos.

<u>Supremo consejo:</u> potencia masónica que tiene jurisdicción sobre los talleres del 4° al 33° grado (excepto en las logias azules).

<u>Sinagoga de satán:</u> nombre con el que denominan a la masonería los adversarios católicos más fundamentalistas.

<u>Taller:</u> en él se engloban todos los cuerpos iniciativos, las logias que trabajan en los tres primeros grados o entidades que lo hacen en los superiores.

<u>Templo:</u> se trata del ideal a realizar por un masón, el Templo de Salomón que nunca se acabará de construir. Al igual que sucedía con la logia, designa también el local en el que se reúne.

<u>Tenida:</u> reunión de trabajo de una logia.

<u>Tenida blanca cerrada:</u> Conferencia de un profano en una reunión exclusivamente de masones.

<u>Tenida blanca abierta:</u> reunión de masones en las que son admitidos los profanos.

<u>Tenida colectiva:</u> reunión de varias logias solidarias.

<u>Tronco de la vida:</u> en él los masones depositan su óbolo al finalizar las "temidas" para obras de beneficencia.

<u>Trono de Salomón:</u> sillón reservado para el venerable en el templo.

<u>Valle:</u> El conjunto de lugares situados bajo una misma jurisdicción, es el nombre que se da en los Grados capitulares.

<u>Viajes:</u> paseos que da el aspirante alrededor del taller durante sus pruebas de iniciación de evidente simbolismo.

<u>V.I.T.R.I.O.L.:</u> visita al interior de la Tierra. Al rectificar encontrarás la piedra escondida. En el Rito Escocés Anti-

guo y Aceptado está la inscripción en latín en el muro del Gabinete de Reflexión.

Volumen de santa ley o de la ley sagrada: por lo general se trata de la Biblia abierta en el Evangelio de San Juan y ante la cual los que son cristianos juran su fidelidad. Los judíos juran sobre un pasaje del Antiguo Testamento; los musulmanes utilizan el Corán y los hindúes el libro de los Vedas.

LA NUMEROLOGÍA MASÓNICA:

Los masones dividen los números en femeninos (los pares) y masculinos (los impares). Significados:

1 la divinidad (El Uno de Platino).

2 las tinieblas.

3 el número perfecto: la armonía.

4 el número divino.

5 la luz, el matrimonio. Se le llama el número hermafrodita porque está compuesto del 3 masculino y del 2 femenino, es símbolo de la naturaleza.

6 la salud y la justicia.

7 el número venerable.

8 la amistad. Indica el primer cubo $2+2+2+2=8$

9 el número considerado finito.

10 el cielo. Conserva todas las relaciones armónicas 1(masculino)+2 (femenino)+3 (armonía)+4 (número divino).

Capítulo XVII
Masonería y esoterismo. Influencias.

Que la masonería es esotérica está fuera de dudas porque requiere cierto grado de iniciación para participar en ella. Es una sociedad teosófica porque el simbolismo de sus rituales permite una reflexión sobre las relaciones entre Dios, el hombre y el universo. Reflexión continua y nunca acabada. Llena de gnosticismo por su conjunción entre el judaísmo marquial, el helenismo, el escenario egipcio-copto y el cristianismo y en algunos aspectos rituales aparentemente ocultistas sin que se lleve a la práctica en las logias masónicas o magia, lo cual no quiere decir que algunos individuos no hubieran realizado evocaciones angélicas o se hubieran interesado por la alquimia. Sea como fuere, la masonería tuvo un papel relevante en la creación de algunos movimientos religiosos del siglo XIX y en el reverdecer del ocultismo en muchos aprendices de Cagliostro que lo practican para su propio provecho.

Alguien ha achacado al Rito Escocés Rectificado, la etiqueta de Orden ocultista dentro de la masonería, cosa que no es cierta. El fundador de la orden de los Elegidos-Cohens (*Cohen* = maestro en hebreo) fue Martínez de Pasqually, el cual enseñaba teosofía y unas evocaciones angélicas. Fue Juan Bautista Willermoz, discípulo suyo, el fundador del Rito Escocés Rectificado al morir Pasqually, trasvasando la filosofía de los Elegidos pero sin invocaciones angélicas, aunque algunos hermanos fueran iniciados en dichas prácticas, pero no como masones y nunca lo hicieron en la logia.

Símbolo de los Elegidos-Cohens

La masonería influye extraordinariamente en la fundación y desarrollo de *la* Iglesia de Jesucristo de los Santos de los últimos días *(The Church of Latter Days Saints)* más conocida como mormones. Su fundador Joseph Smith Junior era iniciado.

La madre de Smith practicaba la hechicería y manifestaba tener visiones (aunque cobraba un estipendio por ello). El padre cobraba también por buscar tesoros ocultos a semejanza de lo que había hecho Cagliostro en su juventud. La Biblia prohibía semejantes rituales (Levítico, 19.26; *Deuteronomio* 10.8-14).

Pero el relato de las visitas del ángel Moroni no fue publicado por primera vez hasta 1842 y el *Libro de Mormón* y la fundación de la Iglesia hasta 1830. La confusión es evidente.

El libro para ellos contiene *El libro de la doctrina y las alianzas* (1835) y *La perla de gran precio*.

Los mormones se establecieron primero en el estado de Ohio en 1931, más tarde en Independence (Missouri) en el año 1838. Se trasladaron después a Nauvoo (Illinois). Allí las relaciones entre la masonería y el mormonismo se intensificaron. El 6 de abril de 1840 se fundó la Gran Logia de Illinois y el 15 de marzo de 1842 Smith Jr. fue iniciado en ella. Por aquel entonces las relaciones entre la masonería y el mormonismo eran excelentes, pero la aceptación de la poligamia por parte de Joseph Smith y la acusación de asesinato (aunque el Tribunal lo eximió de culpa) provocó su linchamiento en 1844 y todos sus seguidores fueron expulsados.

Linchamiento de Joseph Smith

Su sucesor Brigham Young llevó a los mormones que le siguieron hasta Utah, lugar donde construyeron la colonia mormona de Salt Lake City que constituyó el primer centro de este movimiento religioso en el mundo. Más del sesenta por ciento de los mormones que allí se establecieron eran masones entre ellos, toda su jerarquía. Los rituales de su templo —supuestamente procedentes del Templo de Salomón— serían tomados y casi no modificados de la masonería. El culto es doble, uno público, muy simple y otro secreto. La poligamia fue oficialmente suprimida en 1893 tras una intervención armada del gobierno federal en 1857.

La Iglesia de Jesucristo de los Santos de los últimos días es lacia y autoritaria y su estructura es jerárquica. En la actualidad cuenta con más de cuatro millones de fieles en los EE. UU. Antes de la Segunda Guerra Mundial, la conversión fue numerosa en los EE. UU., Reino Unido y Escandinavia. Durante las últimas décadas se ha extendido por México, otros países de la América Latina y también a Corea del Sur. La razón por la que este movimiento religioso crece tanto es por su dinamismo en la propaganda y que los jóvenes sirven gratuitamente como misioneros durante dos años yendo casa por casa.

Existen también grupos que realizan tareas adicionales y servicios para niños, adolescentes y mujeres, así como programas de ayuda social.

LOS MILENARISTAS

Se denominan así porque toman como referencia los mil años mencionados en el libro bíblico del Apocalipsis (20-1-

3) y tras ellos volverán Jesucristo a la Tierra y se acabará el mundo. Su origen se remonta a los orígenes del cristianismo, pero el adventismo moderno se debe a William Miller, granjero que predicó que los últimos tiempos estaban próximos, concretamente en 1843.

A medida que esto no se producía fue variando las fechas. Sea como fuere, a partir de sus prédicas se empezaron a constituir las diversas iglesias y grupos. El adventismo tuvo enseguida muchos seguidores y una profetisa Ellen G. White, a quien, según ella, la inspiraba el Espíritu Santo. Tras conocer a William Miller conectó también con la masonería. Al igual que el apóstol de los mormones entró también en trance y realizó un rápido viaje por el Sistema Solar un día de 1846. Sus obras se inspiraron en las de su esposo, otro discípulo de Miller.

Ellen G. White

Por aquel entonces dio nombre al Movimiento Adventista del Séptimo Día al sugerir cambiar el domingo como día santo por el sábado de los hebreos *(sabatti)*. Ella misma confesó que la sugerencia se la había dado un masón.

En el año 1863 algunos seguidores de Miller crearon La Iglesia Cristiana Adventista del Séptimo Día que se extendió por diversas partes del mundo. Cuentan con comunidades en Cataluña y País Valenciano.

Cabe destacar, que el autor de este trabajo sobre la masonería solamente expone relaciones de esta con los nuevos grupos religiosos y sus doctrinas. No es su propósito, ni mucho menos, criticarlos.

Otra mujer Mary Baker Eddy (1821 1910) casada con un masón y relacionada con otro iniciado, el coronel Henry Steel Olcott, creador con Madame Blavatsky de la Sociedad Teosófica, tras una curación, para ella, milagrosa, fundaría en 1879 la Ciencia Cristiana. Su doctrina está condensada en su principal obra *Ciencia y salud* (1875) y su sede sería Boston. Allí se editaron tres periódicos: *The christian science journal* (1883), *The christian science centind* (1898) y *The christian science monitor* (1908).

Su doctrina se basa en que pretende curar, únicamente por medios espirituales, no solo el mal moral, sino las enfermedades del cuerpo. Así recomienda no acudir a los médicos cuando se está enfermo. Parte de su filosofía fue publicada en la *Revista mensual de los masones (Freemason's Monthly Magazine)* ya que la masonería es la única sociedad a la que les está permitido afiliarse a los miembros de la Ciencia Cristiana, que utilizan además simbología masónica. Sus presidentes desde 1922 a 1924 fueron también iniciados, como también lo pudiera ser Mary Baker y la propia Ellen White.

LOS TESTIGOS DE JEHOVÁ

Para César Vidal, uno de los fundadores de los Testigos de Jehová, Charles Taze Russell era también masón[50]. Vino al mundo en el seno de una familia presbiteriana, según su propia autobiografía fue el conocimiento de las doctrinas adventistas en 1870, lo que le hizo crear su grupo en los EE. UU. en 1874. En 1881 se denominó *Zion's Watch Tower Society* y la organización dirigente adaptó el nombre de *Watch Tower Bible and Tract Society*.

Afirmaron que la Biblia es la palabra de Dios (Jehová)[51] como única fuente de verdad. Anunció la lucha final entre el bien y el mal y la posterior llegada del reino de Cristo que creará un mundo nuevo.

En 1914 fue fundada una organización semejante llamada *International Student Bible Society*.

Creen ser los últimos representantes de una serie de testigos, desde Abel hasta Jesús. Desde 1880 pretendieron anunciar las profundas transformaciones mundiales que ocurrieron desde 1914. Efectúan su propaganda por medio de múltiples escritos y folletos. Pacifistas, se negaban a cumplir el servicio militar y a saludar a la bandera. No tienen sacerdotes, pero sí predicadores itinerantes y existe un colegio central con sede en Nueva York compuesto por 7 miembros que asisten al presidente.

El número de afiliados ronda los tres millones. A partir de 1945 su número creció en todo el mundo, sobre todo en la Europa occidental. Su acción proselitista se desarrolla

50   Charles Taze Russell, pastor norteamericano (Pittsburg 1852-Pampa, Texas, 1916).

51   Jehová es una forma incorrecta por Yahvé (*Ye-ho-vá*). Dios, debido a la falta de vocales del hebreo.

en más de 200 países. Editan el diario *The Watchtower (La Atalaya)* en 79 idiomas y la revista *Awake (¡Despertad!)* en 32 idiomas ambos con una tirada superior a los 10 millones de ejemplares. En España es una de las asociaciones religiosas no católicas más importantes.

El carácter gnóstico, secreto, iniciático de la masonería ha sido indudable sobre todo en el pasado, ya que en la actualidad se esmera por presentarse como una sociedad discreta, manifiesta y con fines humanitarios, y ha influido en mayor o menor grado —tal como nos referimos en los inicios de este capítulo— en el resurgir del ocultismo de los siglos XIX y XX. Así la doctrina de Albert Pike, general norteamericano sudista de la Guerra de Secesión indultado por el presidente Andrew Johnson, también masón, que fue ascendido al grado 32 y dedicó un templo masónico en Boston cuna de Pike, quien sería el único general confederado con un monumento en Washington. Pike fue masón grado 33 y en 1871 publicó *Moral y Dogma*[52] en el que describe los 32 grados del Rito Escocés con su correspondiente significado iniciático.

La Biblia, escribe, oculta una realidad esotérica que solo era patrimonio de unos pocos hebreos poseedores del conocimiento de la naturaleza y atributos verdaderos de Dios, al igual que lo tuvieron Zoroastro, Manu, Confucio, Sócrates y Platón. "La comunicación de este conocimiento y otros secretos… constituían lo que hoy llamamos francmasonería… Este conocimiento, la Palabra perdida fue dada a conocer a los grandes elegidos, perfectos y sublimes masones".

A esta ciencia de los misterios le llamó *"gnosis"* combinación de doctrinas orientales y occidentales en un sincre-

---

[52] El título completo es *Moral y Dogma del Antiguo y Aceptado Rito Escocés de la Masonería.* César Vidal, op. cit. pág. 184.

tismo religioso en el que Jesús es un simple conocedor de misterios. Cree en la reencarnación y en que el ser humano es un Dios en potencia, prueba evidente de ocultismo. *Moral y Dogma* fue regalado durante mucho tiempo en las logias de los EE. UU. a los que se iniciaban en los grados superiores de la masonería, aunque muchos masones no admitieron que Lucifer no fuera un ser maligno sino el que reveló la luz a los elegidos.

Alphonse Louis Constant "el último de los magos", más conocido como Eliphas Levi, sacerdote católico con varias obras publicadas de magia en su haber[53], fue iniciado en París en 1871 espoleado por compañeros que pensaron que sus conocimientos serían útiles a la hermandad, pero se arrepintió y marchó de la logia por descubrir un sentimiento anticatólico en algunos compañeros.

Eliphas Lévi

---

53   César Vidal. op. cit. pág. 188.

SOCIEDAD TEOSÓFICA

Esta sociedad religiosa iniciática fue fundada en Nueva York en 1875 por Helena Petrovna Blavatsky de origen ruso y 16 personas más entre las que destaca el coronel Henry Steel Olcott, un masón que fue elegido presidente de la Sociedad. La propia Blavatsky fue iniciada en la masonería en 1877. La sede central se fijó cerca de Madrás en la India, con diversos propósitos: la fraternidad universal, el estudio comparado de las religiones, el estudio de los misterios de la naturaleza y el ejercicio de los poderes latentes del ser humano. Los tres artículos fundamentales de la doctrina son la universalidad de lo divino; la eternidad del universo y la naturaleza cíclica de toda manifestación; la reencarnación. Cada rama de la Sociedad teosófica comprende un gran círculo y una sección esotérica, en donde se enseña con mayor profundidad la doctrina secreta.

Símbolo Sociedad Teosófica

Madame Blavatsky desarrollaría su especial visión del ocultismo en *La doctrina secreta* e *Isis sin velo* en donde insiste en el enorme valor de las doctrinas paganas singularmente místéricas y en prácticas espiritistas. Sus dos continuadoras: Annie Besant y Alice Bailey también fueron iniciadas. La primera fue vicepresidenta de una obediencia que permitía la iniciación de mujeres, fundada en Francia en 1893, que extendería su radio de acción a Inglaterra a comienzos del siglo XX gracias a la Sociedad teosófica con el nombre de *Comasonería*.

La segunda, casada con un masón, fue colaboradora del *Master Mason Magazine* y publicó *El espíritu de la masonería*. Vinculada su enseñanza a la cábala hebraica, la gnosis, los misterios de Isis o el culto a Krishna y su continuación sería el movimiento actual de la Nueva Era o *New Age*.

EL ALBA DORADA

También conocida como *Golden Dawn* fue fundada en 1888 por tres masones norteamericanos. Los Testigos de Jehová cogieron esta denominación para una de sus publicaciones. Con una cosmovisión plenamente ocultista derivada de la masonería evocaba la cábala hebraica, las religiones místéricas antiguas y el Egipto faraónico y sentía cierta predilección por los libros de magia y brujería medieval.

Un masón austríaco llamado Carl Kellner fundó en 1895 con Albert Reus, igualmente iniciado, la *Ordo Templi Orientalis* (*Orden Templaria Oriental: O.T.O.*) con un círculo interior paralelo a los ritos masónicos de Memphis y Mizraim hebreo. Era condición *sine qua non* para entrar en él pertenecer a la masonería. Estaba reservado exclusivamente a los hombres.

Símbolo *Ordo Templi Orientalis*

A comienzos del siglo XX, la orden tuvo muchos problemas al incorporar a ella al británico Aleister Crowley cuyas innovaciones causaron multitud de protestas como la introducción de una misa gnóstica. En 1922 sucedió a Reus.

Con los nazis en el poder fue encarcelado por hacer propaganda entre la juventud, pero salió libre a los pocos meses aduciendo que un ángel le había ayudado. Exiliado en los EE. UU. sus logias fueron suprimidas no por los nazis, si no por la resistencia francesa.

Tras su casamiento, Crowley habría marchado a Egipto en viaje de novios y allí su mujer entró en trance afirmando que el dios Horus le había hablado, cosa que se repitió con el propio Crowley, que a raíz de ello escribió la *Liber Al Vel Legis o Libro de a Ley* fijando el inicio de la era de Horus que gobernaría el mundo de las maneras más permisiva posible. Paralelamente, Crowley entró en una logia anglosajona dependiente en la actualidad de la Gran Logia Nacional Francesa de París.

Integrado en la OTO y tras un episodio un poco turbio tras la fundación de una abadía en Cefalú, fue expulsado de Italia, pero no de la OTO, entonces se puso en contacto con L. Ronald Hubbard fundador de la Iglesia de la Cienciología y escritor del libro *Dianética*, que pretende el poder del pensamiento sobre el cuerpo. Se trata de una obra de autoayuda que ha sido traducido a todas las lenguas, incluida la española, cuyo título original es *Dianetics: The Modern Science of Mental Health*. Ambiciona curar tanto las enfermedades mentales como los otros trastornos orgánicos. Miguel Martín-Albo en su magna obra sobre la masonería[54] escribe:

"En las perspectivas actuales, no debemos considerar como conclusión que la masonería sea sinónimo de maldad, de intriga o contubernio. No sería justo juzgar así a un período de casi tres siglos de relaciones contadas y cada una de las más importantes instituciones y pensamientos que han jalonado la historia a lo largo de tantos años. La masonería ha sido y es propietaria de unos ideales a los que han pertenecido hombres importantes, formando parte de la misma una serie de asociaciones legítimas y respetables. Quizás solo por ello merezca que en años sucesivos sea despojada, como cualquier otra de las hostilidades del pasado".

54   Martín-Albo, Miguel. *La masonería.* op. cit. pág 444.

¿Que ha habido aberraciones, desviaciones, cosas "mal hechas"? Quienes han pertenecido o pertenecen a ella son seres humanos y como tales están sujetos a su condición imperfecta ¿No ha ocurrido lo mismo en las otras religiones, incluyendo la católica?

Esa búsqueda continua de la fraternidad universal debería ser tenida en cuenta.

Preguntas que intenta contestar la Dianética[55]

-¿Puede la mente causar tensión, depresión e intolerancia?

-¿Cómo puede uno adquirir suficiente confianza para alcanzar sus metas?

-¿Por qué la gente comete los mismos errores una y otra vez?

-¿Qué es lo que hace difícil concentrarse?

-¿Puede la mente influir en tu comportamiento y causarte malestar físico?

-¿Es posible aumentar la inteligencia?

-¿Cómo funciona realmente la mente?

-¿Cómo puede uno alcanzar todas sus potencialidades en la vida?

El propio Leonard Hubbard escribía en una nota del prólogo: "El principio dinámico de la existencia es la supervivencia. Se puede considerar que la meta de la vida es la

---

55   De la contratapa de *Dianética:El poder del pensamiento sobre el cuerpo*. Edición española New Era Publications Internationals Aps, 1987.

supervivencia infinita. Se puede considerar que el hombre, como lema de vida obedece en todas sus acciones y propósitos a esta única orden: ¡sobrevive! No se ha encontrado que exista ninguna actividad o comportamiento que no siga este principio, que la vida es sobrevivir no es nuevo. Lo que sí es nuevo, es que la vida tenga como todo impulso dinámico solo la supervivencia".

Capítulo XVIII
La masonería y la música

Cuando nos referimos a la música masónica todo el mundo piensa en *La Flauta Mágica*, la famosa ópera de W.A. Mozart o el *Himno a la Alegría* de la Novena Sinfonía de Beethoven con la conocida versión en castellano: "Escucha hermano la canción de la alegría. Es que los hombres volverán a ser hermanos", pero hay mucho más.

Se conservan canciones que se cantaban para animar los banquetes (*ágapes*) con los que se acababan las "temidas". Existen libritos de recopilaciones del siglo XVIII, uno de ellos sacado a la luz por el flautista J.C. Naudot (1762), que en la *Logia Caustos-Villeroy* desempeñaba el cargo de superintendente musical y estaban iniciados el violinista Guignon, el eximio cantante Jelyotte, intérprete de la mayoría de las óperas de Jean Philippe Rameau (1683-1764) y el compositor Louis-Nicolas Clérambault (1676-1749).

El secretario de la logia tenía la misión de guardar en el *Libro de Arquitectura* de la entidad la letra y la música de las canciones improvisadas, costumbre que se conservó en Francia hasta los inicios del siglo XX. La temática es variada, basada en los acontecimientos singulares de cada logia, o en los brindis finales del ágape por el soberano o por los maestros de la logia, los vigilantes, compañeros, nuevos iniciados, etc. En las logias de adopción de fines del XVIII compuestas por damas se dedicaban canciones sentimentales o baladas románticas.

El auge de la masonería francesa expandirá estas canciones por toda Europa, en especial Holanda, Alemania y

Austria. Como el francés era la lengua culta, se combina con las otras lenguas. Primeras espadas de la música, intervendrán en ellas: Carl Philipp Emanuel Bach, Johann Gottlieb Naumann, Christian Gottlob Neefe(1748-1798), profesor de Beethoven, influido por Mozart, Joseph Haydn.

LOGIAS MUSICALES ESPECÍFICAS

La primera de estas es la denominada de *Queen's Head* que es como se conocía la taberna o pub de Londres donde tenían sus reuniones sus miembros. Su nombre artístico sería *Philo Musicae et Architecturae Societas Apollini*. En sus estatutos se estipulaba que el taller se componía de hermanos aficionados a la música y a la arquitectura.

Tras la sesión de inauguración, la iniciación a primer grado estuvo a cargo del famoso violinista italiano y compositor Francesco Geminiani (1687-1752) que alcanzó pronto los grados de compañero y maestro para poder dirigir los conciertos.

En Inglaterra el Hotel de la Gran Logia será utilizado como sala de conciertos públicos en la década de 1770 y allí estrenará su oda latina *Carmen Saeculare* el francés Philidor, sobre un texto pagano de Horacio adornado con el simbolismo masónico.

En Francia las logias musicales fueron numerosas durante los siglos XVIII y XIX y prácticamente hasta la actualidad.

La música sería un buen reclamo para la asistencia a la logia. Así en la de "Los Amigos Reunidos" en su reglamento había nada menos que cinco artículos dedicados a ella en los que se autorizaba usar los locales del taller para conciertos públicos con una entrada de pago. Otras logias con actividades musicales fueron "El Patriotismo" en el Oriente de la Corte, Versalles que interpretaban muchas cantatas y óperas de inspiración masónica para ayudar a los indigentes. Muchas de estas obras corrieron a cargo del Superintendente de Música Real Francois Giroust (1737-1799) y eran interpretadas por iniciados, músicos procedentes de las bandas de la corte, militares o religiosas. La banda parisién de "San Juan de Escocia del Contrato Social" intervino en las celebraciones con música de los grandes acontecimientos patrióticos como las victorias militares.

En 1779 fue fundada por algunos magistrados y burgueses la institución de la Logia y Sociedad Olímpica que al año siguiente organizó un concierto del *Carmen Saeculare* de Philidor, en 1783 fue agregada al Gran Oriente de Francia. Su objetivo era "el establecimiento de un concierto" con una cuota elevadísima para la época, seis luises, unos 165 euros.

La orquesta resultó extraordinaria, con unos músicos vestidos de ropa bordada con puños de encaje, espada ceñida y sombrero en pilones.

La mayoría que componían la orquesta eran aficionados ricos, excelentes músicos y profesores, la logia tenía recursos suficientes para encargar obras importantes a famosos compositores como Cherubini y, sobre todo, Joseph Haydn (1732-1809), austriaco como Mozart y ambos iniciados.

Este tipo de música extra ritual será al parecer solo propio de Inglaterra o Francia. En la Austria de Mozart se inclinan como vehículo propagandístico por la ópera.

Francia y la Revolución

Hasta el Concordato de Napoleón con la Santa Sede en 1801 los interdictos de ex comunión de la hermandad no entraron en vigor práctico. Las relaciones entre la masonería y la iglesia de clérigos habían iniciado y muchos alcanzaron un grado muy elevado. Era frecuente que las logias encargaran misas en las iglesias más importantes de la capital. El hermano E. Floquet fue un protagonista de primer orden de las misas celebradas para recordar a los masones difuntos o los eventos patrióticos.

En la revolución, salvo excepciones, las autoridades suspendieron estos actos y numerosos masones terminaron en la guillotina, supuestamente introducida, más que inventada por el Doctor Guillotin, otro iniciado. El famoso "Felipe Igualdad", primo de Luis XVI juró y perjuró inútilmente, antes de subir al cadalso que no tenía nada que ver con el cargo de gran maestro que le habían achacado.

Sin embargo, los músicos masones supieron "nadar y guardar la ropa" y trampearon al compás de la radicalización de los acontecimientos, siendo contratados para amenizar o enardecer las solemnes fiestas convocadas por acontecimientos patrióticos o como complemento de los extravagantes cultos sustitutivos de la doctrina tradicional.

Los músicos masones supieron adaptarse a los acontecimientos y en lugar de inspirarse en la música sacra, crearon composiciones nuevas, a veces modificando la letra para adecuarla a las circunstancias, otras creando composiciones de nuevo año. En ello destacará Gossec autor de un *Himno al Ser Supremo* o Himno que por cierto en el siglo XIX la Iglesia católica haría suyo canalizando la letra en honor a

San Sulpicio. La utilización de los instrumentos de viento será masiva como lo mostrará la orquesta romántica con el compositor francés Hector Berlioz (1803-1869) que según su propia confesión "pensaba por y para la orquesta, siendo el sonido inseparable de un timbre y un color determinados".

Antes de que se radicalizara la revolución, las logias pregonaron su respeto a las nuevas autoridades basándose en sus principios de libertad y de tolerancia e incluso colaboraron intensamente en su establecimiento identificándola con sus ideales, pero los infaustos hechos posteriores contra ellas no lo tuvieron en cuenta.

Wolfgang Amadeus Mozart (Salzburgo 1756 - Viena 1791). A fines de 1784 y tras intensificar su amistad con Joseph Haydn, Mozart ingresó en la masonería en la Logia vienesa "Zur Wohltätigkeit". El primer movimiento K 465 conocido como las *disonancias* fue la primera influencia que recibió de la hermandad y de la ceremonia de iniciación. Expertos han afirmado que estas *disonancias* simbolizan la confusión del profano como nuevo Dante en busca de la luz que continúa con un franco *allegro* en do mayor al descubrir la revelación. Ya antes de entrar en la masonería, puso música a varios textos masónicos.

Ya en la orden, Mozart escribió la célebre *Música masónica* K. 477 destinada a ritos fúnebres de la ceremonia iniciática del tercer grado de la masonería simbólica para el grado de maestro. El argumento se basa en la leyenda del Templo de Salomón y su arquitecto Hiram asesinado por los envidiosos compañeros y resucitado cuando los nueve maestros hallan su cuerpo enterrado al pie de una acacia (es indudable el paralelismo con la muerte y resurrección de Cristo).

Junto a dos cantos cortos (K. 483-383) para la recepción en la logia del Emperador José II, toda la música vocal masónica de Mozart estaba destinada con toda probabilidad para ser cantada en los ágapes. La última de las cuales *Das Lob de Freundschaft* (K. 623) fue dirigida por el propio Mozart pocos días antes de su muerte al ser inaugurado un nuevo templo masónico.

Escribió además, una cantata (K. 429) para la fiesta masónica de San Juan y una *Cadena de despedida* (K. 623) para el final de los ágapes que después de 1945 se transformó en el himno nacional austriaco.

La Flauta mágica

Estrenada el 30 de septiembre de 1791, ópera en lengua alemana con libreto de Emanuel Schikaneder será un extraordinario éxito del que Mozart no llegó a beneficiarse (falleció el 5 de diciembre dejando inacabado el *Réquiem*, encargado por el conde Walsegg, aristócrata melómano y francmasón, veamos el argumento.

Extraído de una colección de cuentos orientales recopilados por Wieland con la apariencia de un cuento de hadas, su argumento reposa sobre la idea de la lucha entre las tinieblas y la luz (la ignorancia y el conocimiento) resumen del contenido de la filosofía masónica. Dos personajes enemigos simbolizan estos dos universos (la reina de la noche y Sarastro), mientras las pruebas iniciáticas impuestas al amor de dos jóvenes (Tamino y Pamina) les permitirán acceder a la virtud y a la sabiduría. Tamino consigue una flauta mágica, símbolo de la música, y que tiene consecuentemente el poder de ayudarle a superar ciertas pruebas. La música, comentario personal de Mozart, expresa la oposición de ambos mundos, la psicología de ambos personajes en melodías notables por la precisión de los sentimientos expresados (tema de la reina de la noche, tema de Pamina). La partitura contiene ciertos elementos pintorescos o figurativos.

Mozart recibió la ayuda y el asesoramiento de un grupo de hermanos de elevados grados. La planificación no fue solamente inspirada por el grado de aprendiz y su ritual, sino también en el de las logias femeninas de adopción (papel de la reina de la noche y de sus damas), en los ritos del siglo XVIII de los *Hermanos Sirvientes*, los criados de la logia (papel de papageno) y hasta en el grado de *Rosacruz* la escenificación original que ostentaban dos de sus asesores.

La parte lenta de la obertura comienza como modernamente se ha estimado por cinco acordes interpretados por la *batería* que los oficiales marcan con sus mazos, tomados del ritual femenino de adopción en oposición en la batería temeraria del ritual masculino del primer o tercer grado que se encuentran en medio de la fuga, símbolo de la lógica de la fuerza masculina.

Los ritmos, la instrumentación y las tonalidades junto con el libreto nos permiten seguir el desarrollo del pensamiento iniciático.

JOSEPH HAYDN (1732-1809)

Fue Mozart quien hizo entrar a Haydn en la masonería en 1785, dos años más tarde, sería expulsado por falta de asistencia, sea como fuere, compuso unos cantos masónicos poco divulgados, la impronta masónica y sus conversaciones con Mozart se perciben en su oratorio *La creación*.

Ludwig van Beethoven (1770- 1827)

No se han encontrado pruebas de su entrada en la masonería, pero él siempre hablaba con orgullo de haber pertenecido a una logia, y además cuando se encontraba con hermanos masones, los saludaba con gestos propios de iniciado. Numerosas obras de su vasta producción están llenas de alusiones masónicas. Así la ópera *Fidelio* (por cierto, diferencia de otras y al igual que Mozart, una obra que tiene un final feliz). La *Novena sinfonía* está escrita para un texto de Schiller, basado en una recopilación de textos masónicos y en el fragmento más famoso que después desarrollaría ampliamente, *El himno a la alegría*.

Siglos XIX y XX

La tradición de la columna de la armonía (instrumentos militares de viento y de percusión) originaria del siglo XVIII, continuó hasta mediados del siglo XIX tocados por masones como los hermanos Triebert, inventores del oboe moderno, oficiales de la logia parisina "La Rosa Estrellada Regenerada" y Adolfo Sax, inventor del saxofón.

Hasta la primera gran guerra, la huella de Mozart continuó, Pierre Gaveaux (1760-1825) compuso la ópera *Leonor*, en la que se inspira Beethoven para su *Fidelio*. Alemania y los países germánicos serían innovadores iniciándose en la tradición, regresando a los *Chants de Table*, coro a cuatro voces masculinas, la mayor parte de las voces sin que ninguno instrumentos los acompañe.

La Flauta Mágica continúa siendo el modelo a seguir. Las imitaciones o adaptaciones proliferaron a diestro y siniestro. Goethe intentó componer una segunda parte de la Flauta, pero tuvo que desistir por no encontrar un músico de categoría y estaba peleado con Schikaneder. De todas formas, dejará escritas dos *suites* con el compositor Peter von Winter (1754-1825).

En Francia había una nueva edición de la *Flauta* poco pulida y exitosa y sin ningún escrúpulo de plagio. La enseñanza masónica musical influyó en músicos no masones como Richard Wagner a quien no fue aprobada su admisión, pero en su famoso *Parsifal* expone el grado de *Rosacruz* y su ritual, y el francés Héctor Berlioz (1803-1869), fundador de una especie de sociedad-paramasónica. Según él, que piensa por y para la orquesta, el sonido es inseparable de un timbre y un color determinados. Escribió un hermoso himno para su sociedad.

Finalmente Erik Satie se afilió a una Rosacruz católica fundada en 1890 por Joséphin Péladan (1859-1918) compuso piezas iniciáticas y una música escénica para la obra *El hijo de las estrellas*. Influencias masónicas en mayor o menor grado, se han detectado también en Mendelssohn, Meyerbeer, Puccini... A comienzos del siglo XX hay músicos masones sobresalientes, entre ellos destaca el finlandés Jean Sibelius (1865-1957), uno de los fundadores de la Logia de Finlandia, el francés Francis Casadesus (1870-1954), el holandés W.F. Pifper (1894-1947) y el ruso Semenaff, nacionalizado francés, el belga Victor Legley, Pierre Max, Dubois, profesor del Conservatorio de París...

Capítulo XIX
Algunos Premios Nobel
Masones y astronautas

León Bourgeois (1851-1925). Premio Nobel de la Paz en 1920. Fue prefecto de policía, posteriormente diputado y ministro en nueve ocasiones. En 1895-1896 fue presidente del Consejo de Ministros de Francia. Siendo ministro de Instrucción Pública, siguió los pasos de Jules Ferry, en cuanto a la separación de la Iglesia y el Estado (apoyado por la masonería) y organizó la enseñanza secundaria. Como ministro de Asuntos Exteriores preconizó el empleo del arbitraje para solucionar los conflictos internacionales. En 1919 dirigió los trabajos de la Sociedad de Naciones. Fue presidente del Senado en 1920 a 1923.

Elie Ducommun (1833-1906). Venerable de la logia Alpina. Premio Nobel de la Paz de 1902. Los últimos años de su vida los dedicó a dirigir la Oficina Internacional de la Paz, en Berna. Falleció en 1906 siendo las últimas palabras que pronunció: "amaos los unos a los otros".

Henri Dunant (1828-1910). Premio Nobel en 1901. Filántropo y escritor suizo. El espectáculo de los heridos de la batalla de Solferino (1859) despertó su humanitarismo. Publicó su obra *Un recuerdo de Solferino* (1862) que conmovió a la opinión pública y promovió la convención de Ginebra (1864) de donde surgió la Cruz Roja Internacional a la que dedicó su vida y su fortuna. Los últimos años de su vida, completamente arruinado, vivió en un hospital suizo, donde un amigo le proporcionó una plaza de caridad. El Premio Nobel de la Paz lo compartió con F. Passy. La doctrina y organización de la Cruz Roja como filantrópica posee muchos puntos masónicos. Sus otras obras: *La esclavitud entre los musulmanes y en Estados Unidos de América (1863)* y *Fraternidad y caridad internacionales en Tiempos de Guerra y la renovación de Oriente* (1865) así lo demuestran.

He aquí un vibrante fragmento de *Un recuerdo de Solferino*:

El campo de batalla está por doquier cubierto de cadáveres humanos y de caballos. Todos los desdichados heridos que son evacuados durante la jornada están pálidos, lívidos, anonadados. Los que han sufrido profundas mutilaciones tienen la mirada extraviada...otros inquietos, con un temblor convulso a causa de las heridas abiertas, locos de dolor, piden a gritos que acaben con ellos (...) En muchos lugares los cadáveres han sido despojados por los ladrones que no respetan a vivos, ni a muertos. Los labriegos lombardos están ávidos del calzado que arrancan brutalmente de los pies abotagados de los muertos (...) un hijo ídolo de sus padres, educado y cuidado durante años por una tierna madre que temblaba ante la indisposición, un brillante oficial adorado por su familia y que ha dejado mujer e hijos, el joven soldado que para entrar en fuego ha tenido que abandonar a su novia, a su madre, a sus hermanos y a su viejo padre: helos aquí tendido en el lodo o en el polvo bañados en su propia sangre (...) "¡Ay, Señor, cómo sufro!" exclaman algunos de los heridos que yacen en improvisados hospitales. Estamos abandonados, se nos deja morir en la mayor miseria y sin embargo, hemos luchado denodadamente... ¿Para qué (...).

Alfred H. Fried (1864-1921). Escritor austriaco, Premio Nobel 1911. Desde muy joven colaboró con la famosa pacifista austriaca Bertha von Suttner, Premio Nobel de la Paz en 1905. Fundó las revistas que tomaron el nombre de la famosa obra de su colaboradora *Abajo las armas*. Fue nombrado doctor "honoris causa" de la Universidad de Leiden y miembro del Instituto Internacional de la Paz.

El siguiente fragmento es de *¡Abajo las armas!*:

No he dejado el luto ni un día de la boda de mi hijo. Cuando se ha amado con locura y se ha perdido un marido, fusilado injustamente, el amor debe ser más fuerte que la muerte y no pueden extinguirse ni el dolor ni las ansias de vengarle. ¡Vengarle! ¿en quién? Los hombres que lo asesinaron no son los responsables del crimen. La única culpable es la Guerra; y contra ella debo dirigir represalias, por impotentes que hayan de resultar. Mi hijo Rodolfo comulga con mis ideas, aunque no por ello ha dejado de cumplir con su obligación del servicio militar. Si un día estalla la inmensa guerra europea que nos amenaza tendrá que ir al frente (...) si tal ocurriera, perdería nuevamente la razón, pero sería para no recobrarla jamás ¿y si tuviera la dicha de asistir al tiempo de la justicia y de la humanidad? ¿quién sabe? de día en día se funden y consolidan nuevas sociedades y ellas esparcen la buena semilla por todas las clases sociales (...) ¡pero la paz universal no es más que un sueño, y ni siquiera tiene el mérito de ser un sueño hermoso (...) sin embargo, hay un rayo de esperanza. Hombres eminentes se han unido para sacudir la pasividad de las masas y para agrupar un día a la humanidad entera bajo los pliegues de la bandera blanca. Su lema es guerra a la guerra. Su voz de mando ¡Abajo las armas! ¿Podrá tener un final feliz? (...)

El auténtico espíritu masónico de paz y concordia universal está bien patente.

Rudyard Kipling (1865-1936). Premio Nobel de Literatura en 1907. En todas sus obras manifiesta el espíritu de la masonería y su hondo amor a los seres humanos, sin distinción de raza, ni de color, *El libro de las tierras vírgenes* (1894) sirvió para que Robert Baden-Powell creara en su fundación del Movimiento *Scout*, la rama de "Lobato o Lobeznas", niños y niñas de entre 8 y 11 años. Por ese motivo, el jefe de "la manada de lobatos" es conocido en los *scouts* como Akelay, el signo de reconocimiento que se hacen unos a otros como saludo es una mano con dos dedos levantados que simbolizan las orejas del lobo (todo muy masónico).

Henri Lafontaine (1854-1943). Nobel de la Paz en 1913. Profesor de derecho de Bruselas, vicepresidente del Senado y miembro de la Oficina Internacional de la Paz en Bruselas, fundador del Instituto Bibliográfico Internacional, organización pacifista.

Wilhelm Ostwald (1853-1932). Profesor de química en el Politécnico de Riga y después de la Universidad de Leipzig y director de un instituto electroquímico. Premio Nobel de Química 1909. Elaboró un sistema cosmológico propio, energetismo), cuya tesis básica es que la energía, y no la materia, es la sustancia del mundo físico; las distintas realidades posibles son formas o apariencias que toman energía.

Charles Richet (1850-1935). Profesor de filosofía en la facultad de París. Miembro del Instituto de Francia y de la Academia de Medicina. Estudió con criterios científicos los fenómenos de la metapsíquica. Premio Nobel de Medicina en 1913.

Theodore Roosevelt (1858-1919). Premio Nobel de la Paz 1906. Miembro de una familia de ricos colonos neerlandeses instalados en el país en el siglo XVIII. Al estallar la guerra contra España (1898) dimite de sus cargos como director de la Comisión del Servicio Civil y de la oficina policía de Nueva York (había sido elegido diputado republicano de la Cámara de Representantes). Elegido gobernador de Nueva York (1898), dos años después fue vicepresidente de los EE. UU. (1900). Accedió a la presidencia tras el asesinato de McKinley (1901), reglamentó el futuro estatuto jurídico de las Islas de Filipinas. Propició la formación del Estado de Panamá con vistas en la apertura del canal. Resolvió los límites entre Canadá y Alaska. Su actuación como mediador en la guerra ruso japonesa y en la Conferencia de Algeciras (cuestión de Marruecos, 1906) lo hizo acreedor del Premio Nobel. Actuó contra los *trusts* de la corrupción. Sin embargo, en varios casos tanto de presidente como después (fue derrotado por Wilson, nueva candidatura de la presidencia en 1912) practicó una política belicista (entrada de EE. UU. en la Primera Guerra Mundial) aunque siempre en beneficio de su país.

Gustav Stresemann (1878-1929). Practicó una política realista tras la derrota alemana. En 1923 fue canciller y ordenó poner fin a la resistencia pasiva en el Ruhr. Tuvo que dimitir, fue ministro de Asuntos Exteriores hasta su muerte. Su actuación en pro de una paz duradera en los acuerdos de Locarno (1925) le llevaron a la obtención del Premio Nobel de la Paz junto con A. Brianden en 1926. Desgraciadamente años después serían papel mojado.

ALGUNOS ASTRONAUTAS MASONES

Entre los astronautas masones citaremos a Edwin E. Aldrin (coronel de los USAF), Leroy Gordon Cooper (coronel de las USAF), Dorin F. Eisele (teniente coronel de las USAF), Virgil I. Grissom (teniente coronel de las USAF) falleció en un accidente en enero de 1967 en Cabo Kennedy a bordo del Apolo I "Wally", M. Schirra, Thomas O. Stafford, Edward D. Mitchell, Paul J. Weitz, C.F. Kleinknecht, Neil Armstrong, John Glenn, etc.

Capítulo XX
Grados y rituales

En su origen, la masonería solo tenía tres grados: aprendiz, albañil u obrero; el compañero, oficial o constructor y el maestro, patrón o arquitecto. Se denominan grados simbólicos o fundamentales y constituyen la masonería azul. A ellos se les fueron añadiendo según los ritos, cuatro, siete, etc. hasta 90 que tiene el rito Memphis-Mizraim. El Rito Escocés Antiguo y Rectificado es uno de los más generalizados y tiene 33 grados como describimos en el cuadro adjunto. Para un profano de entrada sorprenden los nombres rimbombantes, sobre todo, desde el 11.

Esos 33 grados fueron divulgados a partir de 1802. Los grados de cada rito se dividen en series en órdenes y en las series en clases. Cada grado lleva consigo sus ritos de iniciación propios, su catecismo, su juramento, sus símbolos y modos de reconocimiento especiales. Los tres primeros grados se han conservado en todos los ritos.

El aumento de los grados obligó a la constitución de organismos de coordinación para facilitar una estructura coherente de cada uno. Se formaron así los capítulos o consejos siendo los primeros el capítulo de Clermont o el Consejo de emperadores de Oriente y Occidente. Los grados del Rito Escocés Antiguo y Aceptado tuvieron una espectacular aceptación porque recogida en la tradición cultural judeo-cristiana clásica y medieval de los gremios, partiendo de un oficio como el de constructor, enlazan con la Orden de Caballería de forma simbólica hasta el sacerdocio y era apto para personas que no profesaban una doctrina religiosa determinada.

El esoterismo se encuentra en los diversos grados y es explicado a medida que el "hermano" va avanzando en ellos.

GRUPOS DEL RITO ESCOCÉS ANTIGUO Y RECTIFICADO[56]

Tradicionales	1°	Aprendiz
	2°	Compañero
	3	Maestro: grado que confiere la plenitud de los derechos masónicos
1eros Grados simbólicos	4°	Maestro secreto
	5°	Maestro perfecto
	6°	Secretario íntimo
	7°	Preboste y juez
	8°	Intendente de los edificios
	9°	Maestro elegido de los nueve
	10°	Ilustre elegido de los quince
2 Grados capitulares	11°	Sublime caballero elegido
	12°	Gran Maestro Arquitecto
	13°	Del Real Arco
	14°	Gran Elegido Perfecto o de la Bóveda Sagrada y Sublime Masón
	15°	Caballero de Oriente o de la Espada
	16°	Príncipe de Jerusalén
	17°	Caballero de Oriente y Occidente
	18°	Soberano Príncipe Rosa Cruz o Caballero Rosa Cruz
	19°	Gran Pontífice de la Jerusalén Celeste o Sublime Escocés
	20°	Venerable Gran Maestro o de las Logias regulares
	21°	Caballero prusiano o patriarca noaquita
	22°	Príncipe del Líbano o Caballero Real Hacha
	23°	Jefe de Tabernáculo

---

56   Según Miguel Martín-Albo. *La Masonería. Logias, rituales y símbolos de la Hermandad.* pág. 308, Ed. Libsa, Madrid, 2014.

	24°	Príncipe del Tabernáculo
	25°	Caballero de la Serpiente de bronce o de Airain
	26°	Príncipe de la Merced o Escocés trinitario Gran Comendador del Templo
3 Grados filosóficos	27°	Caballero del sol
	28°	Gran Escocés de San Andrés
	29°	Gran Elegido Caballero Kadosch
	30°	o del Águila Blanca y Negra Gran Inspector Inquisidor
	31°	Comendador
4 Grados sublimes	32°	Sublime y Valiente Príncipe del Real Secreto
	33°	Soberano Gran Inspector General

En el siglo XIX surgió también el denominado rito de Memphis-Mizraim muy original por no ser originado en la tradición masónica europea, escocesa, inglesa o francesa.

Símbolo del rito de Memphis-Mizraim

Su nacimiento habría que buscarlo en el Próximo Oriente, concretamente en los escenarios de Siria y el Líbano en donde perduraban cofradías de obreros constructores como los que construyeron la importante fortaleza del *Krak* cristiano y que habían sido compañeros de los templarios durante las cruzadas, en general, de raza drusa con rito iniciático derivado del ismailismo, creyentes descendientes de Agar, la esclava de Abraham. Cuando en las campañas napoleónicas por el territorio, militares franceses miembros del Gran Oriente de Francia se pusieron en contacto con ellos. Pasó como otros procedentes de logias, con alto contenido hermético-gnóstico (Agar tuvo de Abraham a Ismael del que según la Biblia provienen de los árboles). Entre ellos se hallaba Gabriel Marconis de Negre y Samuel Honis que elaboraron un nuevo ritual muy influido por las tradiciones esotéricas de los drusos a las que eran muy aficionados. Así nacieron los Discípulos de Menfis con centro en Montauban el año 1815 con la prócera de 90 grados, pero que se propagó como reguero de pólvora entre los antiguos combatientes bonapartistas.

EL rito coexistió con el denominado de Mizraim que en hebreo quiere decir Egipto y que recordaba el embarcador veneciano Cagliostro, fundador en su templo de una logia de obediencia egipcia: No tuvo éxito en Italia, pero sí en Francia. Así, en 1818 la Logia del Arco Iris de París adoptó dicho rito que tuvo que esperar hasta 1848 para su desarrollo.

Todos los rituales masónicos se construyeron a base de símbolos con imágenes impregnadas de diversos sentidos que remiten a diferentes niveles complementarios. Estos niveles son explicados progresivamente al masón, a medida que avanza en la jerarquía de los grados. Todos los niveles aludidos como el templo judío, el cuerpo del hombre y el mismo universo están jerarquizados de acuerdo con un ordenamiento aritmologo presente en todos los rituales engarzados en torno a una sola imagen a la vez que se hallan en correspondencia con su orden natural fundado en las grandes leyes de la analogía sobre las que el pensamiento esotérico nunca ha dejado de elaborar su doctrina.

El Rito Escocés Rectificado es quizás el más simbólico y es el que hace más hincapié en la creencia en Dios como Gran Arquitecto, insistiendo en que está prohibida la admisión de los ateos. Ciertamente, la masonería no entra en disquisiciones religiosas, es decir soslaya hablar de las Iglesias establecidas, impidiendo la implantación en las logias de cualquier dogma.

Además de las prácticas rituales, el trabajo simbólico que tiene lugar en la logia recibe el nombre de discusión o debates de las planchas o *fracées*, informes presentados por un hermano que tratan de temas variados, aunque los trabajos más agradecidos son los simbólicos. El estudio de ellos es puro esoterismo intentando dilucidar su significado oculto o sus múltiples niveles. Antes de utilizar el concepto abstracto, se valen del símbolo como herramienta para explicar el relato siguiendo tres pasos tradicionales en cualquier trabajo, que en este caso, se ofrece en forma de mito: origen, estado actual y restablecimiento final, o lo que es lo mismo: vida, muerte y resurrección de Hiram, destrucción y reconstrucción del Templo de Jerusalén de Salomón. De esta manera, el mito revelado por el ritual a merced de las instituciones contenidas en este, potencia la acción humana para la reflexión con el fin de situarse mejor en el universo.

A través del rito, valiéndose de la Biblia, el Corán o el Talmud, según el libro revelado escogido, intentan llegar al conocimiento existencial y a su último sentido material y espiritual que alguien ha llamado "el meollo mítico poético de la existencia humana ante las eternas preguntas: ¿quiénes somos?, ¿de dónde venimos? y ¿a dónde vamos?

La masonería es una auténtica institución sin dogmas, sin filosofía sistemática. En ella conviven individuos sin adscripción a cualquier iglesia tradicional, cristianos o no, que buscan su autorrealización como sociedad fraternal de pensamiento e iniciática.

La masonería tradicional pretende reinsertar el ser humano en un cosmos que para ella no ha perdido su sentido, sin la muerte de Dios, ni la del ser humano. Sea como fuere, lo cierto es que de una manera u otra, perdido en su mayor parte su secretismo, lo cierto es que en la actualidad continúan vigentes sus planteamientos en busca de la fraternidad universal del género humano. Y en busca también de una unidad que no ha conseguido a pesar de sus esfuerzos, como el tratado firmado en Francia, el año 2000, por varias logias de las más importantes europeas, constituyendo la Confederación de las Grandes Logias Unidas de Europa, respetando sus singularidades propias. Tímido rayo de esperanza como el acercamiento realizado entre las iglesias cristianas. ¡Ojalá la mente de todos deje de anidar la idea de que la hermandad es sinónimo de conspiración y de maldad y que ella dé fehacientes muestras para ello!

SIMBOLOGÍA ESOTÉRICA SEGÚN MIGUEL MARTÍN-ALBO

SÍMBOLOS	SIGNIFICADO
El reloj de arena	Paso inexorable del tiempo. La consumación de un periodo. El retorno al origen.
El silencio	En las logias masónicas se tiene ordenada la ley del silencio a los aprendices, ya que implica la apertura hacia la revelación. En la actualidad el secretismo ha pasado a la historia.
La letra "A"	La piedra filosofal. La eternidad de Dios. El alfa. El principio. Primera letra del alfabeto masónico que se representa por el ángulo recto o por la escuadra, con el ángulo en el lado derecho de la horizontal y la parte inferior de la perpendicular. "Yo soy el alfa y la omega", recuerdan.
El espejo	La conciencia y la memoria a las que se pueden acudir y mirar.
Los dedos	El dedo anular representa los conocimientos espirituales. El dedo índice la intención y el poder ejecutor. El pulgar simboliza el poder.
El mazo	El golpe del mazo sobre el cincel recuerda el método, la voluntad espiritual que provoca la facultad del conocimiento y que moldea las ideas.
La paleta	Es el símbolo de la benevolencia, de la fraternidad universal y de la tolerancia. Signo sublime del auténtico masón.
El compás	La medida en la búsqueda. Procede de la época de los constructores.
La escuadra	La rectitud en las acciones. Procede de la época de los constructores.
El mallete	La voluntad de aplicación. A golpes de mazo.

El cincel	Significa el discernimiento en la investigación y la búsqueda.
La plomada	La profundidad en la observación.
La regla	La exactitud en los trabajos y la aplicación.
La palanca	El don de la voluntad que nunca se tuerce.
La música	Representa el equilibrio y el orden. Muy utilizada por la hermandad.
La llave	Es el símbolo del silencio y de la importancia de las antiguas tradiciones guardadas por ella.
La miel	La alimentación espiritual semejante al maná bíblico.
La manzana	Símbolo del conocimiento y de la libertad, recuérdese el Jardín del Edén bíblico.
El Templo	Lugar de trabajo y de fraternidad solidaria frente la obra humana a ejecutar, pero también en otro nivel de interpretación, significa un templo que hay que elevar en nuestro propio corazón y, por último, advierte también que el Templo de Salomón representa nuestro cuerpo, así como el emblema del mundo antes de la caída, en definitiva el universo que se pretende reconstruir.

CONCLUSIÓN

Una vez realizada la lectura del libro que puede efectuarse de forma lineal, de un tirón o preferentemente por los capítulos más atrayentes (la cuestión es que se lean pormenorizadamente, con detención y asimilación, y se acabe por leerlo por completo, o se relea, si es necesario, y pudiera consultar la bibliografía fundamental adjunta). Hecho esto, lo mejor sería que la conclusión la realizara el propio lector.

¿La Masonería fue, pero continúa siendo tan satánica como en algunos períodos de la historia y en países determinados, numerosos hechos, la han presentado?

¿Continúa albergando en las conciencias que ha ido (o sigue yendo) a la par con el sionismo o el comunismo en su lucha por alcanzar el poder nacional vigente o el dominio mundial?

¿Qué ha quedado del secretismo de antaño? ¿Siguen siendo vigentes los parámetros de una masonería nórdica fraternal y no violenta y otra latina o mediterránea al igual que en épocas precedentes?

¿Sigue nutriendo la hermandad gente de élite, desde la nobleza o antigua aristocracia a la alta burguesía, evolucionando en la actualidad a una especie de Rotary Club? He aquí en síntesis los estatutos de estos. Veamos sus semejanzas con aquella.

Los rotarys o "rotarios" son una asociación internacional que agrupa a círculos locales del mundo de los negocios, profesionales liberales y de la industria.

Hasta aquí, su similitud con la masonería operativa es palpable.

Fundada en 1905 en Chicago, por el abogado Paul P. Harris con el nombre de *Rotary International*, ha servido para fomentar la unión y la camaradería entre los hombres de negocios de distintos países, organizan actividades diversas de tipo recreativo, deportivo y cultural, etc.

Nada que objetar, pues es una modernización o puesta al día de las actividades de cualquier hermandad. "Aboga por la amistad entre los pueblos". La masonería también.

La insignia es una rueda dorada (la escuadra y el compás masónico).

El primer *Rotary Club* fundado en Europa fue en Madrid en 1920. Su origen (como el precedente de la masonería) quizás se remonte al derecho altomedieval que gravaba el transporte de mercancías en carros que se asimiló después al *peaje*, siendo suprimido en el siglo XIX.

¿Cómo pueden evolucionar los "rotarios" en el tiempo, al igual que ha hecho la masonería? ¿Se ha de poner en entredicho como han hecho algunos con la ONU, la UNESCO o la "Carta de la Tierra" por no mencionar a Dios como una de sus finalidades?

Los "rotarios" no son tampoco muy conocidos entre los medios de comunicación (quizás menos que la masonería), cuando lo sean ¿no representarán unos potenciales enemigos entre la competencia?

Los miembros de las logias, contra viento y marea, supieron guardar a lo largo del tiempo un entramado asociativo y un elevado estatus social, conscientes de su situación en las sociedades en que vivían. Han sabido adaptarse y transformarse con el correr de los siglos. Por eso supieron asimilar las tendencias filosóficas y socioeconómicas del momento, aunque a veces les costara caro y fueran estas las que la contaminarían provocando que fuera un "chivo expiatorio" ante los fracasos.

Hay que tener en cuenta además, que, pese a todo, el Gran Oriente de España, por ejemplo, en su Constitución publicada en 1893, tal como ya hemos señalado, advertía que "la masonería no es una religión positiva, ni una escuela filosófica, ni un partido político. Rechaza todo exclusivismo y su doctrina y sus principios son universales puesto que en lo fundamental convive con los dogmas, principios y doctrinas de todas las religiones, de todas las escuelas, de todos los partidos".

Su objetivo final ha sido y es la búsqueda de la verdad, pero para conseguirla (cuestión abierta que todavía no han logrado) han escogido muchos caminos, a veces equivocados (en cuanto a los diferentes caminos también lo hicieron las iglesias cristianas, el islam, etc.) hasta tal punto que han sufrido los embates de las Iglesias (singularmente la católica), acusados de ser instrumentos (los masones) tanto del protestantismo como del sionismo. La acusación sigue vigente todavía. Pero también, corrientes políticas como el liberalismo, el socialismo o el fascismo se han lanzado contra ella cuando sus miembros (hombres y mujeres, al fin y al cabo) se han aprovechado de aquella para asentar sus objetivos de dominio, condenado, a la corta o a la larga, al fracaso. Es decir, han sido zarandeados desde las dos orillas. Sea como fuere, líderes de los movimientos emancipados de los pueblos la adoptaron en sus esquemas de gobierno, incluso monárquicos como el británico, el francés (en la primera mitad del siglo XIX) o el preconizador de la unidad italiana.

Las persecuciones religiosas se han moderado, pero no han terminado, y el citado Código de Derecho Canónico promulgado por el papa Juan Pablo II de 1983, continúa vigente recordando (sin mencionarlo) que el que promueva o dirija una asociación de este tipo ha de ser castigado en entredicho y el que sea miembro de ella con una pena justa si maquina contra la Iglesia. La encíclica *Fides et Ratio*, casi al llegar al siglo XXI, quiso aclarar esta cuestión en contra de la hermandad, aunque no de forma convincente.

Nada hay que nos diga que actualmente la masonería como asociación (otra cosa son sus miembros libres, por separado) sea un partido político, un sindicato, ni tan solo un grupo de presión.

No intenta, ni desea tomar el poder político, porque la masonería actual no pretende reformar la sociedad globalmente, lo único a que aspirar es perfeccionar al ser humano, individualmente considerado. Las tiranías de tipo fascista o comunista siempre la han perseguido. La búsqueda de la fraternidad universal no ha cesado al compás de los cambios políticos y socioeconómicos. ¡Ojalá algún día las Iglesias (en plural) y ella llegaran a entenderse! Como lo han hecho en los EE. UU.

La masonería no entra en disquisiciones filosóficas para no implantar en las logias un dogma cualquiera de las religiones establecidas, lo cual no quiere decir, ni que se soslaye, ni que se vaya contra un creador al que llaman el Gran Arquitecto (salvo en casos excepcionales como sucedió en Francia, Italia, México o España).

La creencia en Dios según las *Constituciones de Anderson*, es obligada para todos. La auténtica masonería es una búsqueda permanente de los seres humanos de buena voluntad del por qué de la existencia humana.

Simbolismos y rituales aparte, sin ellos ya no sería una auténtica masonería… ¿No está lleno de símbolos el Apocalipsis, por ejemplo? Alguien ha dicho que hay que encarar el siglo XXI en busca de la "Verdadera Luz", pero no se atisba todavía esta en el horizonte.

Bibliografía

I. Fundamental

Daza, Juan Carlos. *Diccionario de la francmasonería.* Ed. Akal, Madrid, 1997.

De la Cierva, Ricardo. *El Triple secreto de la masonería. Orígenes, constituciones y rituales masónicos.* Ed. Fénix, Madrid, 1994.

Ferrer Benimeli, J. A. *La masonería.* "Historia 16" Extra IV, Madrid, noviembre, 1977.

Ferrer Benimeli, J. A. *Bibliografía de la masonería. Introducción histórico crítica.* 2ª ed. Madrid, 1978.

Ferrer Benimeli, J. A. *La masonería.* Alianza, Madrid, 2001.

Mackenzie, Norman. *Sociedades secretas.* Alianza, Madrid, 1973.

Martín–Albo, Miguel. *Masonería.* Libsa, Madrid, 2014.

Pichon, Jean-Charles. *Historia Universal de las sectas y sociedades secretas.* Bruguera, Barcelona, 1971.

Vidal, César. *Los masones.* Planeta, Barcelona, 2005.

II. Específica

Alba, Yolanda. *Masonas. Historia de la masonería femenina.* Ed. Almuzara.

Bárcena, Alberto. *Iglesia y masonería. Las dos ciudades.* San Román, Madrid, 2016.

Díaz y Pérez, Nicolás. *La francmasonería española. Ensayo histórico-crítico de la Orden de los francmasones en España desde su origen hasta nuestros días.* Ed. Ricardo Fe, Madrid, 1894.

Ferrer Benimeli, J. A. *Masonería española contemporánea.* Ed. Siglo XXI, Madrid, 1987.

Frau, Lorenzo y Arus, Rosendo. *Diccionario enciclopédico de la masonería.* Buenos Aires, 1962, 3 vols.

Gómez Molleda, Mª Dolores. *La masonería en la crisis española del siglo XX.* Ed. Universitas, Madrid, 1998.

Nudom, Paul. *Historia general de la masonería.* Presses Universitaires de France (PUF), Paris, 1981.

Tirado y Rojas, Mariano. *La masonería en España. Ensayo histórico.* Imprenta de Enrique Maroto y hno. Madrid, 1892. (Reimpresión: Maxtor, 2005).

Zavala, Iris, M. *Masones, comuneros y carbonarios.* Madrid XXI, 1971.

III. LIBROS DE HISTORIA Y DE HECHOS HISTÓRICOS QUE HEMOS RELACIONADO CON LA MASONERÍA.

Azaña, Manuel. *Memorias políticas y de guerra*. Ed. Crítica, Barcelona, 1978 (Vol. I).

Carta de las Naciones Unidas y Estatuto Internacional de sustitución. Bruch, Barcelona, 1984.

Cobban, Alfred (dir.). *Historia de las civilizaciones*. Ed. Alianza/ Labor, Madrid, Barcelona, 1998.

Declaració del Mil-leni. Associació per a les Nacions Unides a Espanya (ANUE) y Centre UNESCO, Barcelona, 2002.

Dunant Henri. *Un recuerdo de Solferino*. Bruguera, Barcelona.

Fernández Almagro, Melchor. *Historia del Reinado de Alfonso XII*. Montaner y Simón, Barcelona 1977.

Jacq, Christian. *El misterio de las catedrales*. Planeta, Barcelona, 1999.

Lledó, Joaquín. *La Ilustración*. Acento, Madrid, 1998.

Mitre, Emilio. *Introducción a la Historia de la Edad Media Europea*. Istmo, Madrid, 1976.

Montero Mercedes. *El bienio radical-cedista y el Frente Po-*

pular (1933-1936). Historia contemporánea de España, Siglo XX. Ariel, Barcelona, 2004.

Tuñón de Lara, Manuel (dir). *Historia de España.* Labor, Barcelona, 1985.

Varios Autores. *Historia general de las civilizaciones.* Destino Libro, Barcelona, 1958.

Varios Autores. *Historia de España.* Alianza Universidad, Madrid, 1977.

Varios Autores. *Declaración Universal de Derechos Humanos.* Amnistía Internacional, Madrid, 1984.

Vidarte, Juan Simeón. *No queríamos al rey.* Grijalbo, Barcelona, 1977.

Yates, Frances. *El iluminismo rosacruz.* México. F.C.E., 1981.

ÍNDICE